JN111598

オードリー・タン
日本人のための
デジタル未来学

李登輝元総統日本人秘書
早川友久 著

ビジネス社

はじめに
～オードリーの言葉から日本人が学べる未来の姿～

私が初めてオードリーに会ったのは2020年6月のことだ。台湾では、新型コロナウイルスの脅威への対策が年初から講じられ、春先には国内での感染拡大が危ぶまれたものの、結果的に抑え込みに成功していた。

一方、日本では初動の遅れから感染が拡大してしまい、4月には緊急事態宣言が出される事態となっていた。発生源とされる中国と日本以上に地理的に近く、経済的にも密接な関係があり人的往来も多い台湾が、なぜコロナ対策に成功し、日本は失敗したのか。

そのカギを握る人物として一躍、日本、いや世界中の人から注目を集めたのが本書の主人公、オードリー・タンだった。

もはやご存じの方も多いかと思うが、オードリーのバックグラウンドには、メディアがこぞって取り上げたくなるような材料がそろっている。「35歳で大臣に就任」「トランスジエンダーであることをカミングアウト」「最終学歴は中学校中退」「ＩＱが１８０」「16歳で起業」などなど、これでもかと言わんばかりの枕詞が並ぶ。ネットニュースでは連日、これらのフレーズが見出しを飾り、日本におけるオードリーへの関心はいやが上にも高まっていた。

そんな頃、私のところに舞い込んだのがオードリーの単行本をつくるというオファーだった。ところが、新型コロナウイルスのため、日台間の出入国は厳格に制限されてしまい、編集者や通訳が台湾に来てインタビューをするのはほとんど不可能となってしまう。そこで台湾在住の私に白羽の矢が立ったのだ。『李登輝　いま本当に伝えたいこと』（ビジネス社）をはじめ、李登輝元総統の日本人秘書として、何冊も著作を書き上げた経験があったことも幸いした。

こうして私は20時間以上にわたり、オードリーにインタビューをする機会を得たのだ。そして出来上がったのが、『オードリー・タン　デジタルとＡＩの未来を語る』（プレジデント社）である。

先に申し上げておくと、本書の目的はオードリーがデジタル担当政務委員として貢献したことや、考えていることを紹介するためだけのものではない。

私は、オードリーの発言や考えにもっとも数多く接した日本人のひとりだと自負しているが、彼女にインタビューしたり、内容を訳したりしているうちに、暗澹たる気持ちに襲われるのが常だった。

台湾と日本の、これほどまでに対照的な差はなんなのだろうか、と。

オードリーが発する言葉や理念から、台湾のデジタル革命がうまく進んでいることや、台湾社会が強いポテンシャルを持っていることは、自分なりに改めて深く理解できた。

そこで私が考えたのが、オードリーと台湾の成功例を手本として、日本がデジタル革命を成功させ、希望の持てる〝未来〟をつくり上げるために絶対的に必要なエッセンスを、日本の皆さんにわかりやすく紹介しようということ。それが本書の出発点なのである。

台湾では新型コロナウイルスの国内感染の抑え込みが成功したことを受け、2020年6月頃から「少しずつ日常生活を取り戻そう」という政府方針のもと、コロナ以前の風景が戻ってきつつあった。マスク姿ではあるものの、休日の繁華街には人があふれ、店先に行列ができるいつもの光景が、目につくようになる。

感染拡大に戦々恐々としていた春先には、日本人観光客にも人気の小籠包レストラン「鼎泰豊（ディンタイフォン）」が「並ばなくても入れる！」と話題になっていたが、その頃になると、週末のレストランは、予約なしでは入れなくなっていた。

一方で、同じ時期の日本は、マスク対策ひとつとっても後手後手に回り、目も当てられない状態だったのを記憶している方も多いことだろう。

一体なぜ日本政府は、国民がいま一番必要としている必需品、つまりマスクについて、利用者である国民の声を制度に反映させようとしてこなかったのだろうか。本文でも詳述する、デジタル技術を用いたプラットフォームを使えば、国民の声がダイレクトに反映され、議論する場が設けられたのではないか。

オードリーとのインタビューを読み返していると、日本政府は本気で国民のほうを向いて政治をする気があるのかと疑いたくなってしまう。この1年ほど、次々と日本で起こる問題を台湾から見るたびに感じた「なぜ台湾ができて、日本はできないのか」というもどかしさの謎解きも、本書の重要なポイントのひとつだ。

今回のコロナ禍を通じて、日本が台湾に学ぶべきものはたくさんある。その代表的なものが、政府や社会のデジタル化であり、それを象徴する人物がオードリーなのである。

２０２０年春、新型コロナウイルス対策に右往左往している日本の様子を見た台湾の人々は首をかしげた。台湾が厳格な対策に終始しているのに対し、日本は反応が遅いうえに生ぬるい印象だったからだ。

だが、それでも台湾の人々は日本に対する期待をなくしてはいない。常に日本の状況を気にかけ、心配し励ましてくれている。

「東日本大震災を乗り越えた日本だから、コロナもきっと乗り切れるだろう」

そう言ってくれた台湾の友人もいた。赤十字社を通した分だけで２５０億円を超える義援金を、日本に対する善意として送ってくれた台湾の人々もまた、日本がコロナを克服し、復活することを信じてくれている。

オードリーの言葉一つひとつに、日本が復活するための「未来へのヒント」が隠されている。この英知を、どうしても日本の皆さんに伝えたい。本書は縁あって台湾に住む日本人が、そんなオードリーと台湾に学んでほしいと心から願って書いた一冊である。

第1章　「未来」をゼロからつくり上げる独創思考

Audrey's words

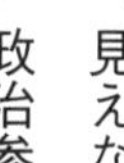

第2章 「自由」をつかみ取るために必要な共鳴思考

Audrey's words

第3章 「危機」を即座にチャンスに変える加速思考

Audrey's words

第4章 「能力」を最大限に引き出す多元思考

Audrey's words

終章 オードリー流思考術＋台湾的柔軟性＝日本の未来サバイバル戦略

第1章

「未来」をゼロからつくり上げる独創思考

Audrey's words

1

学校へ行く時間をムダにするより、インターネットを通じて学ぶほうがいい

オードリーの最終学歴は中学校「中退」である。1995年、14歳のときだ。全台湾の小中学生が参加する科学コンクールで最優秀賞を獲得したオードリーは、どこでも好きな高校に無受験で進学できる権利を得ていた。しかし、彼女は「独学」というまったく別の選択をする。その大きなカギとなったのがインターネットだった。

中学生当時のオードリーが強い関心を持っていたのは、AIやAIによる言語処理に関する最先端技術だ。独学でそれらの研究を続けながら、インターネットを通じて世界中の研究者と対話していた。すると、オードリーは学校で習うものが、もはやインターネット

上で学べる内容よりもはるかに遅れていることに気づく。

「だったら学校へ行く時間をムダにするより、インターネットを通じて学ぶほうがいいのではないか」

そう考えたオードリーは、通っていた中学校の校長先生に直談判した。

「学校をやめて独学で学びたい」

そんなオードリーに、校長先生は次のように諭した。

「あなたが憧れるアメリカの有名大学の教授たちと一緒に仕事をするには、いい大学に入らなくてはいけないし、そのためにもいい高校に行く必要がある。つまり、あと10年は学校で勉強するべきだ」

普通の人なら「たしかに、そりゃそうだよな……」と納得することだろう。ただし、オードリーの場合は、ちょっと違う。実は、このとき彼女はすでにインターネットを通じて、著名な教授たちと討論を重ねていたのである。

その内容を見せながら「**もう教授たちとは一緒に研究をしています。自分の研究時間を減らしてまで高校へ行かなければなりませんか**」と尋ねた。オードリーの訴えを聞き、しばらく考え込んだ校長先生は、最終的に「もう学校に来なくてもいい」と言ってくれたのである。

のちに、この校長先生はオードリーが学校に来ずに独学に専念できるよう、出席しているように取り計らうとともに、オードリーのことをかばってくれた。いまでもオードリーは、校長先生に感謝しているという。

このようにオードリーが高校に進学せず、独学で研究を進め、世界の著名な教授たちと討論したり共同で研究することが、インターネットの存在なしに実現できなかったことは言うまでもない。

2020年6月、インスタグラム上ではある動画が話題になっていた。ナイジェリアでバレエを学ぶアンソニーという11歳の少年が雨のなか、裸足で踊る光景を撮影した動画が投稿されると、瞬く間に世界中に拡散された。その結果、いままでならありえないような事態が起きた。その動画を見た、ニューヨークの有名バレエスクールがアンソニーをスカウトし、奨学金を提供することを申し出たのである。

ナイジェリアでアンソニーを指導していたダニエル・アジャラ・ウォセニ氏は、若い頃、ヨーロッパ各地のダンス教室に奨学金の申し込みをしたが、「原則としてアフリカ人には国際奨学金を受ける資格はない」という差別を受けた経験があった。ウォセニ氏は、教え子のアンソニーがその「才能だけ」で評価されたことに喜びを隠せなかったという。

世界的な新型コロナウイルスの影響で、まずはリモートレッスンになったものの、アンソニーは世界でも一流の指導を受けられることになったのである。

オードリーの「独学」はインターネットがカギとなったが、その25年後のアンソニーの奇跡的な「つながり」は、インターネットとスマートフォン、そして世界規模のSNSアプリが組み合わさって生まれたものだ。そしていまや、翻訳アプリの精度向上によって、言語の違いさえコミュニケーションの障壁ではなくなっている。

さらに、オードリーはインターネットを使って、場所や環境という制約を軽々と「超越」

し続けている。

彼女は台湾政府のデジタル担当政務委員として5G（第5世代移動通信システム）政策を担っているが、その方針はとにかく異例ずくめだ。

オードリーは、こう語る。


「まず4Gの利用率が低い場所に5Gの設備を確保することが、政策として重要なのです」


これは逆転の発想だ。

新型コロナウイルスの流行前から、台湾の教育現場では一部の科目でリモート授業が取り入れられてきた。リモート技術を用いることによって、生徒たちが都市にいようと山間部などの僻地（へきち）にいようと、その科目に精通した「プロ」の授業を受けられることになる。

また、台湾では2014年から一部の小中学校で試験的にプログラミングを学ぶカリキュラムがスタートし、のちに必修科目となった。

ただ、プログラミングのような専門性の高い科目を子どもたちに教えられる教師の育成が、なかなか追いつかない。そこで、リモート技術を用いることによって、そうした問題をクリアしたのだ。これにより、あらゆる科目、とくに専門性の高い科目までひとりの教師が教えなければならないという負担が軽減され、授業の精度が高まるというメリットが生まれた。

ただし、リモート授業を行うためには、高速のネット回線が整備されていることが不可欠な条件だ。一般的には、5Gのような最先端のインフラ整備や設備投資は、手始めに都市部から行われていくだろう。しかし、オードリーら台湾政府は**「都市ではなく、地方から先に整備する」**ことを政策として決定したのだ。

実際、台湾は2019年から山間部や離島などの「僻地」をターゲットに5Gの設備投資を開始している。

この一見、イレギュラーとも思える政策だが、実は、ここにこそオードリーの理念が隠されている。すなわち、

「インターネットの平等」

である。

都市部のネットインフラばかりが優先的に整備され、地方は置いていかれるばかりでは、

場所や環境といった障壁を超越できるというインターネットの優位性がまったく発揮されない。この発想は、**オードリーが大切にする哲学であり、台湾社会の強みのひとつでもある「インクルージョン」、つまり「誰も置き去りにしない」という価値観ともリンク**している。

この概念が、デジタル革命を考えるうえで大きなカギとなるのである。

2

Audrey's words

自分はパイプ役をしただけで、マスクマップをつくったのはプログラマーたち

日本で「オードリー・タン」の知名度を一躍高めることになったきっかけは、新型コロナウイルス感染防止対策としてのマスクマップアプリだった。

当初、日本での報道では「わずか数日でマスクマップアプリを開発した天才IT大臣」のように、誤った内容のものもあったと聞く。実際のところ、**オードリーはアプリを「開発」したのではなく、民間のプログラマーたちがつくったアプリに、政府が持つマスクの在庫情報を開放してリンクさせるための「橋渡し」の役割を果たした**のである。

のちに**台湾は、新型コロナウイルス封じ込めに成功し、２００日以上連続で国内感染者を出さないなど、世界でもトップクラスの「優等生」として報じられた**。だが、台湾が置かれた状況が、日本と比べても有利だったわけでは、決してない。

もちろん国土が狭いなどウイルス対策がしやすい条件があったのは事実だが、感染源とされる中国との地理的距離、人的往来の密接さは日本以上だ。そうした〝悪条件〟が台湾の危機感の高さにもつながったわけだが、初期のコロナ対応はまさに綱渡り状態だった。

２０１９年12月31日、中国の武漢市衛生健康委員会が「原因不明の肺炎」が確認されたと発表。これを受け、台湾政府の衛生福利部（厚生労働省に相当）は即日、武漢発の航空機に立ち入り検査を開始した。

２０２０年が明けると、台湾では新型コロナウイルスに関するニュースが飛び交い、早くもマスク不足がささやかれ始めていた。世の中は、まだそれほど切羽詰まった雰囲気ではないように思われたが、私がある日、外出した際にマスクを忘れたので、購入しようとコンビニに入った途端、店員から「マスクは売り切れですよ」と言われた。私がなにも言わないうちに、である。

それほど「マスクありませんか」と聞かれることが多かったのだろう。この経験によって、私も「本当にマスクが足りないんだな」ということを実感し、以後はマスクが売っていないか気にするようになった。こうした心理的な連鎖が、マスク騒ぎに拍車をかけた一面があったことは否めない。

台湾政府も、1月中旬の時点でマスクが絶対的に不足することに気づいており、いち早く緊急時用の備蓄分のうち約1800万枚を放出した。だが、マスク不足を解消するまでにはいたらなかった。そこで、政府から国内でマスクを製造する業者に協力を要請。それを受けた**マスク業者の工場では全従業員の休暇を取り消す一方、5倍の日給を約束し、12時間交代で働いてもらった**という。

旧暦で動く台湾社会において、年に一度の旧正月休みは、故郷へ帰り家族や親戚と「團圓（ドアンユエン）」と呼ばれる家族団らんの時間を過ごす一番重要な休暇だ。家族を大切にするお国柄でもある。

その長期休暇を取り消してマスク増産に投入させたのだから、台湾政府の本気度、危機感は相当のものであったことがわかるだろう。生産ラインは24時間フル稼働させ続けたが、それでも人手が足りなかったので、軍からも応援の人手を出して増産にあたったという。

こうしてマスクの増産が進められたが、すぐにマスクが潤沢に市中に出回ったわけではない。そこで2020年1月28日から、コンビニで1人当たり3枚までを実名で購入できる制度を導入した。すでに購入した人の情報を即座に共有し、制限枚数以上、購入できないようにするためだ。ところが、この方法には大きな問題が残っていた。

オードリーは言う。

「マスクの制限販売の拠点になったのがコンビニでした。のちに薬局での販売に変わったので、コンビニでの販売期間は3、4日だったと思いますが、この販売方法は大きな混乱を引き起こしました。枚数制限があるにもかかわらず、マスクがどこのコンビニにどのくらい残っているのかが、わからなかったのです」

「実名制」のために利用されたのが、電子マネーやクレジットカードだった。

台湾でも、日本のSuicaやPASMOのような「悠遊(ゆうゆう)カード」と呼ばれるものが普及している(無記名式と記名式がある)。さらに、コンビニでは電子マネー以外にも、クレジットカードやLINE Payなどに代表されるキャッシュレス支払いが普及し、設備もすでに整備されていた。

ハード面で利用できる部分が多かったのに加え、これらの支払い方法においては、実名がすでに登録されていることが大きかった。すでに普及し、整備されているツールを利用すれば導入や販売開始までの時間を短縮することができる。政府は、この環境を利用して実名による販売を行おうとした。

ところが、ここで問題が起きる。いくら「実名制」での販売がスタートしても、どのコンビニにどれだけマスクがあるのかという情報がなければ、人々はどこでマスクを買えばいいのかわからない。そもそも、みんながマスクを買えるようにならなければ、新型コロナウイルス対策など絵に描いた餅である。

「こうした状況のなかで、みんなの力を合わせて生まれてきたのがマスクマップアプリなのです」

オードリーによれば、政府がなんとかマスクを行き渡らせようと努力する一方で、「マスク難民」をいかにして救おうかという動きが、民間のプログラマーたちのあいだで出始めていたという。

きっかけは、台南在住のあるプログラマーが、家族や周囲の友人たちのためにつくったプログラムだった。身近な人たちの「マスクが買えない」という声を聞き、「少しでも役に立てば」と、どのコンビニにどれだけマスクの在庫があるかを確認できるアプリを開発し、ネット上で公開したのだ。

「周りの人たちの役に立てばいい」程度に思ってつくったアプリは、あっという間に拡散して利用者が急増。ネット上の掲示板でも話題になった。

それに目を留めたのがオードリーだった。このアプリが**「政府がやっていることの"透明化"に役立つ」**と直感した彼女は、プログラマーたちに即座に連絡。それと同時に行政院長（首相に相当）に直談判し、政府が持つマスクのデータを公開し提供することを認めさせたのだ。これによってコンビニにあるマスクの在庫データベースを利用して、さらにアプリの改良が進められたのである。

オードリーが奔走し、政府が必要な情報を「透明化」したことにより、誰もが無料でマスク在庫のデータを用いてプログラムを開発できるようになった。**オードリーがプログラマーたちと連絡を取り始め、アプリが開発されるまでの時間はわずか3日という驚異的なスピード**だ。

そして、実際に公開される2月6日までに、オードリーとプログラマーたちは協力して、全国6000カ所以上の販売拠点でのマスクの在庫が3分ごとに自動更新されるマップを開発したのである。

この**マップの利点は、どこのお店に在庫がどれくらいあるかが一目瞭然になったことだけでなく、政府が、マスクを人々に公平に行き渡らせようとする姿勢が可視化されて安心感を生み出したこと。その結果、人々は落ち着きを取り戻し、パニックを防ぐことができた**のである。

オードリーは「**自分はパイプ役をしただけで、マスクマップをつくったのはプログラマーたち**」と、あくまでもプログラマーに花を持たせている。ただ、マスクの在庫情報を完全に、しかも無料で公開し、民間プログラマーが自由に使っていいという発想は、やはりオードリーの「透明性」を重視する価値観に起因している。

オードリーとともにマスクマップアプリを開発したプログラマーは、次のように語った。

「もしオードリーでなかったら、マスクマップアプリはどこかひとつの開発会社に依頼するだけで終わっていたでしょう。オードリーのように『オープンソース』にして、たくさんのエンジニアを巻き込んで一緒にやろう、という発想は出てこないですよね」

この発言のポイントは、どこにあるのか。

オープンソースとは、誰でもアクセスできるよう、ネット上に設計されたコードを公開し、好きなように修正したり、アドバイスすることができるようにすることだ。

実はマスクマップアプリは、50種類以上ものアプリが開発されたという。在庫データが無料で、誰もが使えるように公開されたからこそであろう。当時、私も政府から発信されるＬＩＮＥのメッセージで複数のアプリが紹介され、それぞれの使い勝手を試したのを覚えている。

利用者が実際にアプリを使ってみて、使いにくいところを指摘したり、類似のアプリと競争することによってさらにアプリの使い勝手が向上していく。これが、オードリーの発想の大きな成果だったのである。

Audrey's words

3 テクノロジーはあくまでも人間の手伝いをしてくれるもの。使う側の人間が自由に選べばいい

台湾では、人々がマスクマップアプリを使えば、どこにどれくらいの在庫があるかを確認できるようになった。しかしオードリーには、まだ疑問が残っていた。

「コンビニで実名制販売をすれば、それだけで問題解決になるのだろうか」

実際、行政院が統計を取ると、マスクを購入できた人は4割しかいなかった。というのは、多くの年配者にとって、クレジットカードやLINE Payなどの使い慣れないツ

ールを用いてマスクを購入することは、ハードルが高すぎたのである。年配者は現金や無記名式の悠遊カードを好んで使うことがわかり、アプリが導入されたにもかかわらず、6割もの人々がマスクを購入できずにいた。マスクの供給はあるのに買えない人が6割も存在するのは、感染防止対策の大きなほころびである。

そこで、オードリーは「マスク難民」となった人々への対応を考える際、優先順位を決めた。**まずは年配者など、デジタルを使い慣れない人たちへの対応に取り組んだ**のである。そこで用いられたのが、健康保険カードだった。台湾は日本と同様に国民皆保険で、誰もがＩＣチップつきの健康保険カードを持っているからだ。

このＩＣチップには基本的な個人情報が入っている。また、病院の診察記録やどんな薬をもらったかなどのデータの読み書きも可能だ。一方、政府機関である中央健康保険署と薬局はもともとネットワークで結ばれているので、ＩＣチップにマスクの購買記録が書き込まれ、そのデータをオンラインで共有することで「実名制販売」が可能となったのだ。

オードリーが優先対応を考えた年配者たちにとって、なにより一番簡単なのは、お店に並んでマスクを買うことである。だから、ネットもスマートフォンも必要なく、普段医者にかかるときに使う健康保険カードだけをマスクを買う際に持っていけばいい、という方式にしたのだ。

このやり方ならば、年配者にとってなにも難しいことなどない。健康保険カードを使うというのはもっともシンプルなやり方だが、結果的には国民の70～80%がマスクを購入することができたという。

その次にオードリーが対応したのが、日中は仕事で店頭に並ぶことができない若い世代だった。そこで今度は、コンビニエンスストアを使ってもらうことにした。コンビニであれば、街なかのいたるところにあるし、どんなに仕事で帰りが遅くなろうとも開いているので、そこでマスクを購入できるシステムを設計したのだ。


この例から日本が学べることはふたつ。

ひとつは、オードリーの実現した在庫データの公表によって、マスクの在庫状況が透明化され、国民の前にデータとして提示されたことだ。これによって国民は、購入枚数が制限されながらも在庫があることが確認でき「いつかは買える」という安心感につながった。

マスク不足によるパニックが起きなかったのは、この「目で見て理解してもらう」ことが

なによりも重要だった。ネット社会に生きる私たちは「目に見えるデータ」というものを見慣れている。だからこそ抽象的な言葉だけで納得したり、人々の気持ちが安定したりすることなどありえない。

もうひとつは、個人情報の保護に関する原則だ。台湾の人々が持つ健康保険カードのICチップに記録されている基本的な個人情報は、あくまでカードから読み出せるだけで、政府側のサーバーやクラウドに保存されることはない。つまり、個人情報はICチップに保存し、データが必要なときに、権限の持った医師（あるいは機関）が、必要なデータだけを見られるように設計されているわけだ。

個人情報が自分の健康保険カード以外の場所に保存されることはないので、情報漏えいは起こりえないのである。

オードリーは**「誰もが使えるということが重要」**だと話す。マスクの実名販売制度が、スマホとネットを使える人しか使えない、あるいは昼間お店に並ぶ時間がある人しか利用できない、という制度だったらどうだろう。マスクは一部の人たちの手にしか行き渡らず、結果的に新型コロナウイルスの感染防止には役立たなかったはずだ。

たしかにデジタル技術は便利だ。ただ、**デジタルが得意な人と、そうでない人で社会に格差が生じてしまうことは絶対に避けなくてはならない**。台湾のマスク政策が、デジタル一辺倒であったならば、結果的に社会の分裂を引き起こすことになっていただろう。だが、幸い台湾のデジタル政策をけん引するオードリーの頭のなかには、「誰もが使えるということが重要」という価値観があった。

現実的にデジタルをうまく使えない人たちがいつかは減っていくとか、いなくなるなどという、悠長な考えなど持っていなかった。それよりも、**「直接並んでもらう」とか「健康保険カードを持ってきてもらう」というところから発想を広げた**のだ。それによって「誰もが使える」うえに「誰も置いていかない」というコロナ対策が、実現することとなったのである。

この「誰もが使えるということが重要」という言葉は、日本がこれからやろうとしているデジタル革命にとって非常に重要な概念だ。2021年9月にデジタル庁の発足を控えているが、猫も杓子(しゃくし)もデジタルになびき、デジタルを十分に使いこなせない人たちが置き去りにされてしまう政策を進めれば、社会はデジタルを使える人とそうでない人に分裂してしまう。

デジタル化だけを推進すれば、その恩恵を受けない人たちは「落伍者」となり、社会の分裂を招いてしまう結果になる。

オードリーはこんなことも言っている。

「デジタルの側が、苦手な人に寄り添うことも重要です。パソコンとキーボードが苦手なら、タブレットとペンを使えばいい。テクノロジーはあくまでも人間の手伝いをしてくれるもの。使う側の人間が自由に選ぶようにすればいいのです」

日本もようやく印鑑の廃止が議論されるなど、杓子定規な手続きが見直されつつある。ただ、大切なのは、画一的なやり方を求めるのではなく「誰もが使える」ということを念頭に、フレキシブルに対応できる方向に進めるということだ。

マイナンバーを利用してコロナ給付金の手続きをしたいが、システムの不具合が生じるなどトラブルが続出し、窓口に人が押し寄せたという、笑い話にもならない本末転倒なこともあった。「デジタル革命」という言葉だけを旗印に、理念もなくデジタル化を進めたところで、社会の効率は決して上がらないのである。

4

Audrey's words

まだ選挙権がない若い人たちでも、アイデアを出すのは自由

2020年1月30日、オードリーが日本テレビの人気番組『世界一受けたい授業』に出演した。反響はすさまじく、かなり高い視聴率だったようで、2週間後にはオードリーが出演した部分だけが再放送されたほどだった。

さらに後日、オードリーの理念である「開かれた政府」を推進するチーム「PDIS」(パブリック・デジタル・イノベーション・スペース)のユーチューブチャンネルに、この「世界一受けたい授業」を収録している模様が公開され、ちょっとした話題になった。もっとも、この動画は手の込んだいわゆる「メイキング映像」ではない。収録風景を定点カメラで撮

影しただけの、単なる記録動画だったのだ。だから通訳の声も、テレビ局側からの指示も、雑音が入ってしまっての撮りなおしも、すべて一切カットなしで公開されている。

なぜこのような動画を公開したのか。それは、**オードリーは「開かれた政府」あるいは「政府の透明化」を自ら実践するために、自分が受けたインタビューや取材は一言一句にいたるまですべてネット上で公開する、という姿勢を貫いている**からだ。

では、オードリーがこれほどまでに大切にしている「開かれた政府」（オープンガバメント）とはなんだろうか。それを彼女は、こう説明している。

「政府がなにかを決定する前に、その決定を下すまでのプロセスを社会にきちんと提示することです」

その柱となるのが**「説明責任の重要性」**であり、**「政府と社会が一緒になって同じ目標に向かって動くこと」**であり、それを実現させるのが**「お互いの信頼を生み出すデジタルなプラットフォームの構築」**である。「説明責任」は「透明性」とも言い換えられる。

具体的に見てみよう。台湾であれ日本であれ、多様な異なる考えが存在するのは当然のことだ。政府がやろうとする政策について、国民が自分の考えを自由に表現することができるか、異なる意見を受け入れられるか、疑問に思うことを質せるか、など言論の自由に根ざした活発な議論は民主社会の根幹でもある。その議論をするためのベースとなるのが、政府の説明責任だ。

政策がブラックボックスで決まっていたら、国民は政策決定の過程にまったく関与できず、ただ決まったものを知らされるだけになってしまう。これでは、**「民主国家ではなく全体主義国家と同じになってしまう」**というのがオードリーの考え方なのだ。

2014年、台湾では「太陽花（ヒマワリ）学生運動」が起きた。当時、日本でいう国会にあたる立法院で、台湾と中国のサービス分野における市場開放を規定した「サービス貿易協定」の批准に向けた審議が行われていた。「（台湾と中国の）交渉過程が不透明」だとして、協定締結反対を主張する野党に対し、与党の国民党は時間切れを理由に強行採決しようとした。

そこで、このままではどのような交渉が行われているのか、国民にきちんと知らされないまま「ブラックボックス」で協定が締結されてしまうと恐れた学生たちが、立法院の議場を占拠したのだ。

学生たちが怒ったのは、「サービス貿易協定」の内容だけではない。協定締結を決定するまでの交渉プロセスを、国民党政権が台湾社会にまったく提示しなかったことに対する怒りだったのだ。交渉プロセスが透明化され、自由な意見――賛成であれ反対であれ――を戦わせれば、最終的に民主的な方法、たとえば「公民投票」（国民投票）などの多数決によって決めることも可能になる。また、反対意見を尊重する内容を協定に盛り込める可能性も出てくるだろう。しかし「ブラックボックス」での決定では、国民の自由な意見を表現する機会が奪われてしまうのだ。

「太陽花（ヒマワリ）学生運動」は結果的に、当時の立法院長（国会議長）が、交渉プロセスが透明化されるまで審議は再開しないと表明したことで学生たちは退去し、占拠は3週間あまりで終わった。だが、この年の秋に行われた地方統一選挙で与党国民党は、史上最悪ともいわれるほどの惨敗を喫することになる。

「ブラックボックス」を排除し、説明責任の重要性を理解した「開かれた政府」が確立されれば、次の条件である「政府と社会が一緒になって同じ目標に向かって動くこと」も自然と可能になる。説明責任が果たされ、情報が公開され、プロセスが透明になれば、国民はおのずと政府を信頼してくれる。

民進党の蔡英文政権は、こうした「説明責任」の重要性を認識し実践したからこそ国民の信頼を得た。結果、国民が政府を信頼し、政府もまた国民を信頼した。だからこそ、**2020年、世界の国々のGDPが軒並みマイナス成長のなか、台湾はGDP成長率2・98％を達成**できたのだ。その理由は、ロックダウン（都市封鎖）する必要がなかったのが大きい。ロックダウンは感染拡大防止に当然効果があるが、経済面で代償を払わなくてはならないからだ。

実は2020年3月、蔡総統に対して緊急事態宣言にあたる「緊急命令」の発布を望む声が上がったことがあった。国外からの帰国者に感染者が増加していたからである。しかし、政府は現行の法律で充分対応可能なことを理由に、緊急命令を発布しなかった。政府と国民のあいだにしっかりと信頼関係があることに自信を持っていた蔡総統は、国民が自発的に政府に協力してくれるという確信があったのだ。

「開かれた政府」を支えるために重要な「場」を提供するのが、「お互いの信頼を生み出すデジタルなプラットフォーム」である。国民が行政の問題や社会の課題を解決することに参加するためのプラットフォームをつくることは、オードリーの重要な仕事のひとつだ。

そのためにオードリーたちが作成したものとして、オンラインのプラットフォーム上で法案を討論することができる「ｖＴａｉｗａｎ」や、生活のなかにある問題を解決するための新しいアイデアを提案する「Ｊｏｉｎ」がある。どちらも、提案された意見に即座に自分の意見を反映することができる。

これまで人々が、社会的な問題の周知、解決をするために、もっとも一般的なやり方は政治家への「陳情」だった。あるいは、テレビや新聞に取り上げてもらうという方法もあったが、いずれにせよ国民の訴えは一方的で、政治や社会がどのように受け止めてくれるかのフィードバックはなかった。そうした形態を、デジタルが持つ「双方向性」という利点を用いて変えていこうとしているのがオードリーなのである。

オードリーは、こう語る。

「デジタル技術があれば、あなたの意見を聞いた人は即座に自分の意見をあなたに伝えられる。まだ選挙権がない若い人たちでも、アイデアを出すのは自由なのです」

その好例が、台湾におけるプラスチックストローを禁じた法律の成立だ。先述の「Ｊｏｉｎ」というオンラインのプラットフォームに投稿された政策提言に対する賛同者が

5000人を超えると、行政側は必ず請願として受けつけなければならない。

そこに、プラスチック製の皿やストローを禁止しようという提案が書き込まれた。この提案には、またたく間に請願に必要な5000名の署名が集まり、ついに法制化することが決まったのだ。のちにこの問題の投稿者が、16歳（当時）の高校1年生、王宣茹さんだったことで世間は驚いた。**オードリーが言うように、選挙権のない女子高生であろうと社会を動かすことはできる**ことの証明である。


日本の場合、2020年9月に行政改革担当大臣に就任した河野太郎氏が自分の公式サイトに「行政改革目安箱」を開設して国民の意見を集めたことがあった。書き込みが殺到したため、のちに内閣府のホームページに「規制改革ホットライン」として再開設したが、書き込み量が膨大となったため11月には募集停止してしまった。

書き込み量が予想をはるかに上回ったというのは、国民が行政に対して「言いたいこと」が山ほどあることの証左だろうが、一方で河野氏のやり方は決して「開かれた政府」とはいえない。なぜなら、やはり旧態依然とした国民から行政への一方通行の訴えを受けつけるスタイルにすぎないからだ。

先述の「ｖＴａｉｗａｎ」や「Ｊｏｉｎ」をはじめ、**台湾でオードリーが推進する「開かれた政府」を支えるプラットフォームは、基本的に誰にでも開放されている**。だから、なにか意見や提言が書き込まれると、それに対して誰もが自由に自分の意見を表明できる。もちろん賛成でも反対でも自由だ。

ここに、議員に直接陳情したり、請願書を提出したりするといった一方通行のアナログ方式と、意見を発することもできるし、受け取ることもできるというデジタル方式との大きな違いがある。

日本では目下、「開かれた政府」を支えるデジタルのプラットフォームは存在していない。しかし、河野大臣の「目安箱」がパンクしてしまったように、国民の需要はむしろ高まっている。

デジタル庁発足を控えたいまこそ、国民が自由に意見を表明し、政府と国民が双方向でやり取りができるデジタルプラットフォームの整備を急ぐべきではないか。それによって、国民自らが「政治に参加している」という意識を持つことにもなる。まさにオードリーが考えるように、**デジタルは政治参加を促すツールであり、国民が政府とともに政治のことを考える土台になりうる**のである。

5

Audrey's words

実を言うと、私は〝持守的〟なアナーキストといったほうが正解かもしれません

オードリーと話していると、その視点の鋭さをまざまざと感じることがある。

「かつて全体主義と呼ばれていたものは、実際のところ全体主義ではなかった」

という発言もそうだ。

全体主義を維持しようと思えば、当局の側は人力を用いて国民を監視し、スパイしなければならなかった。人々の密告を奨励して管理するのも、言論を取り締まるのも、反体制

主義者を捕まえるのもすべて人の力によるものだった。

ところが、オードリーに言わせれば、**いまや私たちは刻一刻とデジタルで監視されているのだから、現代こそ本当の意味で全体主義的社会**となる。SNSを見れば、「誰が」「いつどこで」「誰と何をしていたか」を追跡するのは簡単だ。何を食べたのかまでわかる。アマゾンやグーグルは、人々の行動や嗜好(しこう)を当の本人よりも理解していることだろう。

数回にわたるオードリーのインタビューを通じて、一度だけオードリーが声を荒らげたことがある。その前の回のインタビューで、オードリーは自分のことを**「アナーキストだ」**と語った。そのことについてもっと詳しく聞こうと「前回、あなたは無政府主義者と言ったが」と投げかけると、普段は穏やかな彼女が珍しく**「そんなことは言っていない」**と気色ばんだのだ。「前回の回答を忘れてしまったのか」と困惑していると、オードリーは口を開いた。

「私は、政府の国民に対する管理を可能な限り緩やかにしたいだけです」

一般的に「アナーキスト」とは「政府をなくしてしまえ」とか「国家を転覆させよう」

というような過激な主義、主張を意味する。そこで私はオードリーが「無政府主義者」なのかと誤解したのだが、オードリーの真意は違った。**政府が強制や暴力といった方法を用いて、命令に従わざるを得ない仕組みに彼女は徹底的に反対**するということなのだ。だから、決して政府が存在することに反対しているわけではない。

命令や服従といった強制力が存在しないことが重要なのであって、政府があるかないかということとは無関係だ。そういう意味で、彼女は自分を**「保守的なアナーキスト」**と称しているのだという。

インタビュー中、そんなやり取りをしているとオードリーが口をはさんできた。

「実を言うと、私は〝持守的〟なアナーキストといったほうが正解かもしれません」

中国語の「持守」とは「人がその主体性の根拠となる本来のよき心」をいかに「持ち守る」か、つまり「心」をいかに保持するか、という意味だ。修行者であれば戒律を守ることが「持守」であり、ベジタリアンの人が肉や魚を食べないという意志を貫き通すことも

「持守」にあたる。

ただ、オードリーがいう「持守」という概念はやや違うようだ。オードリーの価値観は、デジタルを通じて、異なる意見が乱立するこの社会で、いかに共通の価値観を見つけ、お互いが理解し合った新しい〝イデオロギー〟へと昇華させるためにはどうすればよいのか、というものだ。

実際、台湾は多民族国家であり、使用言語も複数ある。政府が認定しているだけで16もの先住民が居住する社会では、数え切れないほどの異なる文化が存在する。そんな多文化社会において「自分たちの文化こそ正しい」とかたくなに主張して、**自らの正統性のために他の文化を壊したり、軽視したりするのであれば、オードリーいわく、それは「持守ではない」ということになる**のだ。

自分たちとは異なる文化を排除する民族主義は、民主主義とは相容れない。台湾の民主化を成し遂げた李登輝も、中国の排外的な「民族主義」を厳しく批判し、台湾は自分たちならではの「民主主義」を打ち立てなければならない、と主張した。だからこそ、オードリーもまた「共生し、共存し、ともに前に進んでいく」という意味の「持守」を自らの価値観としているのである。

6 座って議論しているだけでは、見えないことや知りえないことがたくさんある

2016年、オードリーがデジタル担当の政務委員として入閣する際、当時、行政院長だった林全(りんぜん)にある条件を提示した。それは**「週に一度は、社会創新実験中心(社会イノベーション実験センター)で仕事をさせてほしい」**というものだった。林全は快諾し、オードリーも政務委員としてのオファーを受けたのである。

この社会創新実験中心の特徴は、「誰もが自由に来て、話をしていいことになっている」こと。つまり、**オードリーは原則水曜日には朝から夕方までこの場所にいて、彼女と会って話をしたい人であれば、誰であっても自由に訪れることができる**わけだ。ただし、混乱

を避けるために予約制になっていて、もしオードリーに急用があったりしてこの場所にいないときには、リモートで話すことになる。

ここで、オードリーが話している相手は千差万別だが、常連は絵を描く仲間たちが集うサークルの面々で、メンバーはなんと70代から90代だという。お年寄りたちを相手に、オードリーは、一体なにを話しているのか。

「彼らが私に教えてくれるのは、座って議論しているだけでは、見えないことや知りえないことがたくさんある、ということです」

お年寄りたちは、エレベーターのドアの開閉を遅くするとか、車いすや歩行器で歩道橋を上がる際の手すりの高さなど、さまざまなアイデアを持ち込んでくるという。**目の不自由な人が、マスク購入のアプリが使えないというので、即座に改良したこともあった。**「こうすればもっとよくなる」と言われれば、すぐにアジャストするようにしているという。

こうしたところに、デジタルだけでなく対面でもコミュニケーションをとることの重要性が隠されている。たとえば、オードリーは**「アプリやプログラムが使いにくい**

という場合、それはユーザー側ではなく、プログラマー側の問題」だと言う。

なぜなら、アプリ等に問題がある場合、それらを使う人の立場に立った「想像力」が、えてしてプログラマーに欠如していることが多々あるからだ。

「アプリやプログラムを開発するプログラマーに欠けた〝想像力〟を養うために効果的な方法は、自分の設計したプログラムを一番使えないだろうと思われる人たちのグループに送り込むこと。そうすれば、彼らがなにを使えないのか、なぜ使いにくいのかという感覚をプログラマーは明確に理解できるでしょう」

だから、オードリーはお年寄りたちと対面で話し合い、社会のなにが使いにくいのか、どうすればもっと使いやすく改善されるのか、というヒアリングを行うのだ。**「そうして〝シンパシー〟を養うことが、想像力につながる」**のだと言う。

私たちの暮らす社会は、さまざまな年代によって構成され、異なる考え方を持ち、身体に障害を抱えている人も少なくない。デジタルにおいて「不便」だというのは、プログラムを設計した側の問題で、日頃の習慣の延長線上のように使えるつくりにしておかなければばならない、というのがオードリーの考え方だ。

対面のコミュニケーションについて、もうひとつの例がある。デジタル革命のなかでもとくに話題の「ＤＸ」（デジタルトランスフォーメーション）に関するものだ。

新型コロナウイルスによって影響を受けた企業に対し、台湾政府が緊急ローンの貸し付けを行った際、その手続きは各銀行に委託された。審査作業は煩雑で、多くの銀行が一定程度の件数しか処理できないなかで、永豊銀行は政府に申請された総数の４分の１に及ぶ案件を引き受けたのである。

なぜそんなことが可能になったのか。永豊銀行は審査にＡＩを導入し、以前にローン貸付審査に合格し、その条件が大きく変わっていない人をＡＩで自動的に抽出したのだ。その結果、審査内容を詳しく見る必要がない申請者が、全体の３分の１を占めたという。デジタル技術であるＡＩを用いて、自動的に審査を通過させることができる人はデジタルに任せた。そして、手作業と対面による審査が必要な申請者については、行員による〝人間の手〟によって処理をする。永豊銀行は**対面のコミュニケーションとデジタル技術によって、処理速度を上げることで業績にもつながるという「結果」を生み出した**のである。

7 政治参加を促すには、「自分の1票が非常に大切なんだ」という意識を持たせることが大事

オードリーはとてもクールで、一見、社会問題を情熱的に語るような雰囲気は感じられないが、実は内面では政治というものに強い関心を持っている。

オードリーが初めて「選挙」というものを経験したのは20歳のとき。「里長」を選ぶ選挙だった。

台湾には行政の最小単位である「里」というものがあり、里長という町内会長のような役職が存在する。これは全国統一地方選挙で選出される、れっきとした「首長」だ。

オードリーが初めて投票をしたその日は、仕事があったにもかかわらず、せっかくだか

らと実家に帰って投票したところ、自分が投票した候補者が1票差で当選したという。このとき、オードリーは「一票の重要性」というものを猛烈に感じたのだそうだ。だから彼女はこう語る。

「政治参加を促すには、『自分の1票が非常に大切なんだ』という意識を持たせることが大事なんです」

実は**オードリーのみならず、若者であっても台湾人は政治への関心が非常に強い**。というよりも、むしろ若者たちのほうが政治参加しようという気概が大きいように思える。2014年に起きた「太陽花（ヒマワリ）学生運動」も大学生が主体だったし、1990年代に民主化のさらなる促進を政府に要求した「野百合学生運動」も、大学生の座り込みが発端だった。台湾の政治は、常に若者がけん引してきたといっても過言ではない。

しかし、そうした歴史的経緯や中国が常に台湾を侵略しようとしているがゆえの危機感だけといった、よく語られる要因だけが台湾の人々、とくに若者たちの政治参加をあと押ししているのではない。

そこには、前述したように国民全員が政治に対して声を上げられる、あるいは上げやすいための仕組みである「プラットフォーム」の存在がある。この仕組みによって、たとえば**プラスチックストローを禁止する法律が成立した際のように、実際に社会を変えるという「手ごたえ」を実感できる**のだ。そしてその結果、さらに人々の政治参加へのモチベーションが高まるという好循環を生み出している。

それに加えて、政府が「透明性」を追求するとともに、積極的な情報発信をすることで、国民が政府に対する信頼を寄せていることが、デジタル行政を推進する基礎となっている。

ジョージ・オーウェルのディストピア小説『一九八四年』に登場するオセアニアという架空の国では、プロパガンダの発信と、国民の家庭での行動を監視するために「テレスクリーン」というテレビと監視カメラを合わせたような装置が設置されている。「テレスクリーン」は、政府のプロパガンダを発信することと、家庭内の行動を当局へ送信する双方向性の機能を持っている。さしずめオーウェルは、現代のデジタル技術を先取りしていたといえるだろう。

しかし問題は、オーウェルが描き出した政府の姿勢である。オセアニア国は、国民を強権や脅迫、監視によって管理しようとした。こうした政府を国民が信頼し、自発的に協力しようとするだろうか。

その点、台湾の蔡英文政権は新型コロナウイルスの感染拡大防止策においても、情報を透明化し、適宜発信しつつ、海外からの帰国者など一部を除き、可能な限り国民の権利や生活を制限しないようにした。政府が国民を信用していないと、オセアニア国のように国民を監視せざるを得ず、強制力によって管理するしかなくなる。先ほどから書いている政府が**「透明性」を追求することと、国民の政治参加は表裏一体**なのだ。


台湾がデジタル行政を進められる〝社会力〟として、国民の側の例も挙げよう。

デジタルパロディを歓迎する風土が台湾社会にはある。デジタルパロディは中国語で「KUSO」と呼ばれる。KUSOは日本語の「クソゲー」（クソつまらないゲーム）に由来しており、当初は「くだらない」「つまらない」という意味だったが、それがどういうわけだか転化して「喜劇的、風刺的な効果を備えたパロディ」を指すようになったようだ。

新型コロナウイルスの感染拡大防止のためにマスクの増産が進んだが、あるとき「トイレットペーパーの原料がマスクの製造に回されるため品不足になる」という情報がネット上で広がった。結果的にはデマだったのだが、情報に踊らされた人々は買い占めに走り、店頭からトイレットペーパーが消える事態が起きた。

このとき、**政府が採用したのが「Humor over Rumor」（ユーモアは噂を超える）というフェイクニュースを晴らすためのアイデア**だ。

前述したように、もともと台湾の人たちのあいだには、ネット上の画像でパロディをつくり、仲間に転送したりして楽しむコミュニケーションが大好きな土壌があった。オードリーたちは、こうした台湾の人々の「嗜好」を利用し、風刺に富んだ「ＫＵＳＯ」を作成してネット上に置けば、勝手にそれをアレンジして広めてくれるだろうという、台湾の人々の特性を逆手に取る作戦を実行したのだ。

ネットに投稿したのは、蘇貞昌（そていしょう）行政院長がトレードマークのハゲ頭の後頭部を見せながら、台湾語の「おまえのケツはひとつだけ」というキャッチフレーズを添えた画像だった。「ひとつしかケツがないのに、トイレットペーパーを買い占めてどうするんだ」という意味だ。同時に、政府は「原材料は十分ある」という情報発信も行った。

とりわけ図柄もさることながら「おまえのケツはひとつだけ」というフレーズが、台湾の人々の心をガッチリとらえた。またたく間にネット上で拡散し、テレビニュースでも盛んに報じられた。こうして、トイレットペーパーがなくなるというフェイクニュースは雲散霧消したのである。

さらに2021年2月26日、検査で害虫が複数回見つかったという「建て前」で、中国が突如、台湾産パイナップルの輸入を禁止すると発表したときのこと。台湾のパイナップル農家は南部に集中しており、南部は与党民進党の支持者が多い。そのため、中国は輸出の9割以上を中国向けが占めるパイナップル農家を狙い撃ちにすることで、蔡英文政権へ揺さぶりをかける意図があったとされる。

すると、台湾の政府関係者は即座にネット上での反応を始めた。フェイスブック上に続々と、パイナップルを片手に「台湾のパイナップルを応援しよう」とロゴを入れた画像を投稿し始めたのだ。総統の蔡英文から、各大臣、南部を含めた首長、そして多くの立法委員（国会議員）や地方議員まで、まさに総出である。

するとどうなったか。画像に多くの「いいね！」がつけられたり、シェアされたりしただけでなく、一般の人々も「台湾産パイナップルを買おう」「食べて支持を表明しよう」という画像を投稿し始めたのである。

蘇貞昌がフェイスブックに投降した「ケツはひとつだけ」画像。衛生紙は「トイレットペーパー」、醫用口罩は「マスク」という意味。買いだめ、値段のつり上げは最高懲役3年、罰金30万元（日本円で約114万円）と記されている。

「中国が台湾パイナップルを輸入禁止したので、みんなで台湾パインを買って農民を助けよう」と書かれた民進党のフェイスブック投稿画像。

この流れは、明らかに蔡英文総統をはじめとする政治の側が率先してとった行動に、人々が追随してつくられたものだった。このように、**オードリーをはじめ台湾の人々は、上から下まで「ビジュアルコミュニケーション」が非常に上手**だ。

それこそ**総統や副総統には、それぞれSNSでの情報発信を担当するチームが存在する**とも言われている。専門のチームがいれば、それだけ政治が素早く反応して動くこともできるわけだ。結果、中国の輸入禁止措置発表からわずか数日で、中国向けに輸出予定だった4万トンあまりは、すべて他国へと振り分けることに成功したという。

一連の流れで、政府と国民は一緒になって台湾パイナップルを応援し、人々は喜んでパイナップル支持の画像をプロフィールに掲載した。これも当然のことながら、**政府と国民とのあいだに信頼関係があったからこそ、そして人々が現実の政治に参加しているという「手ごたえ」を感じられる経験があったからこそ起きた〝事件〟**だといえるだろう。

第2章

「自由」をつかみ取るために必要な共鳴思考

8 徹底して自由を尊重する家庭だったからこそ、いまの私があるのです

オードリーの父方には、外省人（1945年以降に台湾に移り住んだ中国大陸出身者）の祖父と本省人（1945年以前からの台湾居住者）の祖母がいた。

祖母は台湾中部の彰化県の生まれで、実家は鹿港という清朝時代に台湾三大貿易港として栄えた町の名家だった。「文開書院」という私塾を開いており、その建物は現在、政府指定の古跡になっている。日本統治時代の教育を受けていたので日本語も話すし、当時は日本名も持っていたという。一方、祖父は中国の四川省出身で、戦後、蔣介石率いる国民党の軍隊の一員として台湾へ渡ってきた。

本来であれば交差することのない人生を送るはずだったふたりが出会ったのは、戦後まもなくの頃のこと。叔父の紹介で、オードリーの祖母は祖父と知り合った。そして、しばらくすると祖父からラブレターを渡されたという。祖父は中国語だけ、祖母も日本語と台湾語しか話せないから、ふたりは文字で心を通わすしかなかった。

祖母にとって祖父は、正直な人柄のうえ背が高くて見目麗しく、「タイプ」だったそうだ。だが、**「軍人だから、外省人だからという理由だけで蔑視された」**と、自伝『追尋　鹿港到眷村的歳月（追憶　鹿港から外省人村への日々）』に書いているように、叔父以外の家族や親戚は皆、ふたりの交際に反対したという。

やがて、ふたりは結婚を決意するが、いまよりもはるかに保守的だった当時、叔父を除けば誰ひとり賛成しない結婚などありえなかった。自分の祖母や叔母などに相談を持ちかけようとしても、「会ったこともない人の話をされても困る」と突き放される始末。

そこで、祖母はこっそり祖父を実家の近くまで連れて行き、いきなり家族と引き合わせた。すると、そこで初めて祖父を見た家族は、真面目な態度で接する人柄に好感を抱き、一気に反対から賛成に転じたという。

親戚連中は頑強に結婚に反対し続けたが、彼らの説得に協力してくれたのは意外な人物だった。祖父が所属していた部隊にいた本省人の部隊長である。部隊長は「外省人だろうが本省人だろうが、よい人間も悪い人間もいる。私の見たところ、彼は正直で誠実だ」と、祖母の父を諭したという。こうしてオードリーの祖父母は1948年、国民党が武力で台湾の人々を弾圧した「二二八事件」ののち、ほどなく晴れて結婚したのである。

オードリーの祖父たち外省人は、中国大陸で日本との戦争を経験している。日本との戦争が終わると、今度は共産党と国民党で中国の統治権をめぐって内戦に突入し、1949年、戦いに敗れた国民党は、占領統治していた台湾へまるごと逃げ込んでくる。

日本統治下で近代化が大きく進み、日本的なものが有形無形で残されていた台湾社会と、大陸からやってきた国民党政府とのあいだに軋轢（あつれき）が生じるのは、ある意味必然だっただろう。国民党による統治は、法の支配など近代的な社会制度を経験した台湾と、前近代的な中国との「文明の衝突」だったともいえる。だから、日本との戦争を経験した外省人は、おしなべて日本に対する反感が強い。

オードリーが成長すると、祖母は家族や親戚たちと何度か日本へ旅行した。ところが、

祖父は何度誘われても、決して一緒に行くことはなかったという。ただし、オードリー自身が日本へ旅行することや、日本人の友人の家に泊めてもらうことに、反対することはなかった。**子どもや孫たちに、自身が持つ日本に対するネガティブな感情を押しつけるということは、決してしなかった**のである。

両親はジャーナリストであり、とりわけ父（唐光華）は1989年に中国で起きた「天安門事件」を大学院で研究し、「天安門事件に抗議する社会行動とインターネット」という博士論文を執筆しているくらいだったので、言論の自由の重要性を当然理解している。少なくとも、家庭において祖父母や両親がオードリーに対してなにかを強制したり、外面的なものだけで物事を判断したりすることはなかった。

オードリーは、自身が育ってきた環境について次のように語っている。

「徹底して自由を尊重する家庭だったからこそ、いまの私があるのです」

実はオードリーの従姉妹は日本人と結婚したが、この結婚話はまったく問題なく進んだという。70年前、**祖父母が貫いた結婚以来いまに至るまで、オードリーの一族は、自由な家風という伝統を積み上げ続けてきた**と言えるだろう。

Audrey's words

9 なんで、みんなと同じことをしなきゃいけないの？

オードリーは、生まれたときから病気がちだった。ときには原因不明の高熱を出したり、アレルギーに悩まされたりしたこともある。

そして4歳のときのこと、医師から「心室中隔欠損症」と診断され、「長くは生きられない」と言われてしまった。心室中隔欠損症とは、心臓の下方にある左右の心室を隔てる壁に穴が空いている病気だ。

「興奮したり怒ったりすると心臓に負担がかかるため、極力感情の起伏が大きくならないように」と、医師から指示された。心臓の肥大を防ぐ薬を服用し、成長して手術ができるようになるときを待つくらいしか方法がなかった。

オードリーが常に穏やかな物腰でやり取りしてくれるのは、幼少期に感情をコントロールする術を身につけたからかもしれない。

また、オードリーの人柄は自身の原体験にも深く根ざしている。オードリーの母（李雅卿）が書いた子育て日記ともいえる著書『成長戰爭』によると、オードリーは幼少期から、同級生と比べて抜群に頭の回転が速い「天才児」だった。

幼稚園児の頃から、ひとりでなにかを考えるのが好きで、科学雑誌を片端から読んでは知識を蓄えていく。だが、幼稚園のクラスメートからは「変わっている」といじめられたり、仲間に入れてもらえなかったりすることもあった。オードリーも幼稚園に嫌気がさし、親にこう訴えた。

「おやつの前にみんなで歌を歌い、みんな一緒にトイレに行く。なんで、みんなと同じことをしなきゃいけないの？」

小学校に進んでも、オードリーの孤立はますますひどくなる。算数の授業で、「1＋1

=2」と説明する先生に対し「2進法では違います」と反論し、母親が呼び出されることもあった。のちに〝ギフテッド〟(生まれつき高い知能や才能を持つ子ども)と呼ばれる子どもだけを集めた学校に転校するも、そこでも成績抜群だったためにいじめを受けることになる。

「おまえが死ねば、ぼくが一番になれる」

「おまえがいるから、ぼくはお父さんにぶっ飛ばされるんだ」

こんな心ない言葉を投げかけられたこともあった。

「お前がいるから、ぼくはお父さんにぶっ飛ばされるんだ」という言葉は、当時の台湾の〝しつけ〟としては当たり前だったのかもしれない。オードリーの母も「当時の親のなかには、むしろ体罰なしに子どもをしつけることは無理だと思っていた人がたくさんいた」と書いている。

また、転校先の学校でオードリーが体罰を受けると、母は担任教師に話をつけに行った。その際に教師は、「毎日学校が終わるたびに子どもを叩いたことを後悔するのに、翌日子どもたちが騒いでいるのを見ると、静かにさせるためにやっぱり叩いてしまう」と話したという。

私の台湾人の友人に30年以上前の学校の様子を聞いたところ、やはり教師が生徒を「ぶっ飛ばす」ことは普通に行われていたようだった。これが当時の台湾の日常的な教育現場の風景だったのだろう。

結局、**クラスメートの妬み(ねた)からくるいじめなどを重く受け止めた母親は、オードリーに「学校へ行かなくてもいい」と宣言**した。

だが、母の著書にも書かれていたように、オードリーの不登校をめぐって、祖父母も巻き込んで家庭環境はギスギスしていった。父は「学校へ行かせるべき」と言い続けた。そのためオードリーとの親子関係も、溝が広がっていく。

そこで父は「自分が家庭と少し距離を置いたほうがいいかもしれない」と判断し、ドイツへ留学した。ドイツ・台湾間で、父とオードリーは手紙によってコミュニケーションをとり続けた。やがて、環境を変えるべきと考えていた母親の判断で、ドイツで家族は再び同じ屋根の下での暮らしを再開。ぎくしゃくしていた家族関係も修復されていったと同時に、オードリーはドイツで人生の基盤となる考えに出合うのである。

10

相手が誤っていたとしても、そこから学べることは必ずあるし、自分の考えが絶対正しいわけでもない

前項で述べたように、1992年、オードリーが11歳のとき、母は学校になじめなかったオードリーと弟を連れて、ドイツ留学中の父のところで暮らすことを選んだ。

このドイツ留学と前後して、父が政治を研究する後ろ姿を見たことが、その後のオードリーの民主主義に対する考え方や政治への関心を育てたといえる。

1989年、中国では学生たちが民主化を求める運動が起き、天安門事件による〝血の弾圧〟という結末に終わった。その際に、身の危険を感じて台湾へ逃げてきた人たちもい

た。オードリーの父は、そうした若者たちをたびたび自宅に招いては討論したという。台湾の自宅の書斎や、ドイツ留学後の家のキッチンで、オードリーの父は彼らと「なぜ民主化運動は頓挫(とんざ)したのか」「武力による弾圧を回避する方法はなかったのか」「最終的に中国人は民主主義を成し遂げられるのか」といったことを何時間にもわたり議論していた。

幼いときに見たこうした光景を原点に、のちにオードリーはふたつの行動に出る。

ひとつは、**話し合いの場としてのプラットフォームづくり**だ。父と若者たちが議論を重ねる姿を見ることで、異なる意見や考え方を持つ人たちが、話し合いを通じてどのようにコンセンサス、つまり共通の価値観を追求していくかというプロセスを体感した。

そして、父の書斎や自宅のキッチンという、現実世界における話し合いの場をデジタルに置き換えたら、という発想でつくられたのが「vTaiwan」や「Join」といったデジタルプラットフォームだといえる。

もうひとつは、前述した**2014年の「太陽花(ヒマワリ)学生運動」での支援**だ。政府が中国とのサービス貿易協定締結を強行しようとしたことに反対した若者たちが立法院(国会)を占拠した。このとき、一部のメディアは「学生が暴動を起こした」「暴力で立法院に押し入った」などと報道した。

そこでオードリーは、決して暴力的に立法院占拠が行われているのではないことを世界中に知らしめるため、現場に高速ネット回線を引き込んで、占拠の全プロセスをユーチューブ上でリアルタイムに流す支援をしたのである。

オードリーが若者たちを手伝ったのは、父たちがさまざまな角度から議論しているのを聞いていた経験から、若者たちにも必ず彼らの主張があり、さらには、**「透明性のない政府の一方的な決定は、決して民主的ではない」**という思いがあったからだ。

オードリーは、よく父から**「どんな権威も信じてはいけない」**という言葉を聞かされたという。大臣が言ったから、総統が言ったから、といってそれが必ず正しいということはありえない。

誤った政策だったり、不透明なプロセスがあれば、民主社会である以上、言論の自由によって国民の意見を表明することができる。政府が決めたことを、「〝お上〟の言うことが正しい」と無批判に受け入れるのであれば、「自由」も「民主」も必要なくなり、独裁体制と変わらなくなってしまう。

とはいえ、政府の決定になんでもかんでも反対すればいいということでもない。**重要なのは、自分の頭で考えるということ**。これが民主主義における国民の責任だということを、オードリーは父から学んだのである。

一方、母からは、**「自分の意見が他人と異なっても、文字にすれば他人と共通の感情が生まれる」**ことを教わったという。ジャーナリストで、のちには自主学習やカリキュラムを自分で組むことができる小学校の創設者となる母らしい言葉だ。

母の言葉は、オードリーに**「答えはひとつだけではない」**ということを教えてくれた。

「たとえ自分が正しいと思っていることでも、クラスメートの考えは違うかもしれない。だが、決して自分が間違っているということでも、クラスメートが間違っているということでもない。

仮に相手が誤っていたとしても、そこから学べることは必ずあるし、自分の考えが絶対正しいわけでもない。お互いの答えを文字にして突き合わせていけば、それぞれの答えのなかにある共通したものを見つけ出すことができ、共通の感情を生み出すことができる」

オードリーはそう思うようになった。

父と母それぞれがオードリーに語った言葉は、彼女のなかで咀嚼(そしゃく)され、現在の自分自身を支える重要な価値観になっているのである。

オードリーがドイツ生活で、もうひとつ強く影響を受けたことがある。それは、**「大人のように扱われれば、子どもも大人のような考えができるようになる」**ということ。

台湾では、いまでもそうだが、かなり過保護な子育てをしている光景が目につく。それに対して、ドイツでは小学生なのに大人同然として扱われるのが当たり前だった。

台湾や日本でいう小学4年生くらいの年齢になると、ドイツの子どもたちは「将来、自分はどんな仕事をすれば、社会に貢献できるのか」ということを考えなければならない。なぜなら、成績や将来の目標によって、進学する学校がかなり年齢の低い時点で割り振られてしまうからだ。

では、そんな社会を見たオードリーは、自らどのような選択をしたのか。

両親はドイツに残るつもりであり、オードリーもそのままドイツで進学することも可能だったが、自分の意思で台湾に戻ることを選んだ。不登校やいじめもあってドイツへやって来たにもかかわらず、なぜ台湾へ戻るのか。いぶかしがる両親に対して、オードリーはこう言ったという。

「ぼくは台湾で教育改革をしたいんだ」

実際にオードリーは、それからおよそ20年後の2015年、政府の教育改革会議の委員に就任。教育改革についてのアイデアを提案し、2019年にはその提案が盛り込まれた新カリキュラムが実施されることとなった。

それまで台湾の学校は、教育部（文科省）や政府の管理下にあり、どの地域の学校であっても画一的なカリキュラムで統一されていた。ところが新しい制度では、各学校がフレキシブルに自分たちでカリキュラムを共同で組み立てていくことが可能になり、それによって、各学校の独自性を強く打ち出すこともできるようになったのだ。

たとえば、理数系の授業を充実させるとか、英語教育や国際交流に重点を置くというように、特定の科目をより深く学ぶカリキュラムにするのか、より広範な科目を学ぶようなカリキュラムにするのか、といったことを各学校で決められるようになったのだ。

幼いオードリーがドイツで学んだ、自分で決めるということ。それがいま、台湾の教育界に徐々に根づきつつあるのである。

11
物事を最終的に判断するのは人間であって、AIではありません

早い時期からプログラミングになじんでいたオードリーだったが、本格的にインターネットの世界に接したのは12、13歳くらいのときだという。きっかけは、「プロジェクト・グーテンベルク」という、著作権が切れた作品を電子書籍化してネット上にアップロードし、無料で読めるようにするプロジェクトへの「参加」だった。

日本にも「青空文庫」という、似たようなプロジェクトがあるので、それを思い浮かべたらわかりやすいだろう。

ここでオードリーは、中国語の自動変換プログラムをつくった。中国語の文字には、台

湾や香港で使われている繁体字と、中国大陸で使われている簡体字がある。

オードリーは、繁体字版か簡体字版のどちらかしか存在しなかった中国語コンテンツを、もとのコンテンツが簡体字版であれば、自動的に繁体字版になるように、またその逆もできるように、自動的に変換するプログラムをつくったのである。

それとともに、この仕事を通じてオードリーはデジタルの世界で大切なことを経験した。そもそも、あらゆるプログラミングが、すべてゼロからプログラマーの手で書かれているという例は少ない。現在では、「GitHub」（ギットハブ）といったネット上のプラットフォームに公開されているオープンソースプログラムを利用することも可能だ。オードリーが、マスクマップアプリが民間プログラマーの手で開発されていることを知ったのも、類似のプラットフォーム上だった。

こうした**オープンソースの特徴は、その利用が一方通行なものではないこと**。自分がオープンソースを使わせてもらう代わりに、そのプログラムを改良しもっと使い勝手のよいもの、高機能のものをつくり上げる。そうすると、それがまたオープンソースとなり、誰かのプログラムの「もと」になるのである。

実際、オードリーがつくった簡体字、繁体字変換プログラム「Han convert」も、のちにより多くのプログラマーの手によって改良が進められた。ただし、いまでは後発の「OpenCC」という別のプログラムのほうが、ずっと使いやすくなっているという。このように、絶えず改良が進められていくというのも、オープンソースの利点なのである。

前述のように幼少期に人間関係に悩んだオードリーだったが、いま関心を持っているのは人間のコミュニケーションだという。しばしば**「AIの発達により、人々はAIに仕事を奪われる」**といわれる。しかし、たとえば自動車産業では、オートメーションが進めば、その分、機器を問題なく動かすためのメンテナンスや修理のために必要なエンジニアも増やさなければならない、と専門家から指摘されている。

つまり、どんなに科学技術が進歩しても、人間とのコミュニケーションがなくなることはありえないわけだ。オードリーも同じようなことを語っている。

「AIの発達により、人々はAIに仕事を奪われると言う人がいます。たしかに機械でもできるような単純な仕事は、AIに取って代わられる場合があるかもしれない。しかし、物事を最終的に判断するのは人間であって、

「AIではありません」

オードリーの指摘は、これから私たちがどのようにAIと向き合えばよいのか、というアドバイスと言えるだろう。医療AIが患者を「ガンだ」と診断したとしよう。AIはさらに治療方法についてもアドバイスをしてくれるはずだ。

しかし、治療や「最終的に手術をする、しない」は、医師と患者が相談して決めなければならない。**「AIが手術しなさいといったからする」というような態度では、AIによって人間が支配されているも同然**だろう。やはりオードリーが言うように、この先も「物事を最終的に判断するのは人間」なのである。

12 日本が遅れているのではなく、むしろ台湾が想像以上に先進的なんです

オードリーの父がインタビューに答えて、次のように語ったことがある。

「唐鳳（とうほう）（オードリー）が金銭的な利益だけを追い求めるのではなく、自らがつくったプログラムや自分の能力を、社会をもっとよくするために使っていることがうれしい」

現在、日本では、台湾が新型コロナウイルス封じ込めに成功した立役者として、オードリーのことがさかんに取り上げられている。新聞やネットニュースだけでなく、テレビのワイドショーに登場することも少なくない。日本での注目度がうなぎ上りのオードリーのため、講演会の依頼なども殺到しているという。

ところが、オードリーは政務委員という公職にあるため、給与以外に受け取ることのできる報酬には制限がある。かなり高額の講演料を提示されることもあるが規定上、受け取ることができない。それどころか、無報酬でインタビューなどを依頼されることも多いという。

「だから、いま私に講演を依頼してくる人はだいぶ経費が節約できていると思いますね」

オードリーは、そう苦笑しながら続けた。

「ただ、私なんか33歳でリタイアして、いまは公益のために楽しみながら仕事をしているわけですから」

オードリーはアップルで、話しかけると検索や電話発信などを行ってくれるAIアシスタント機能「Ｓｉｒｉ」の開発にも携わり高給を得ていたが、自分の能力を〝公〟のために使いたいと、ビジネスの世界をリタイアした。

そして、前述したように政務委員という「閣僚」になったわけだが、実はここに台湾と日本の大きな違いがある。**台湾の強さを生み出している大きなポイント、それは大臣への登用が「能力主義」**だということだ。

台湾の政治体制は「半大統領制」で、直接選挙で選ばれた総統が行政院長（首相に相当）を任命する。厳密には、総統は外交と国防を担当し、内政は行政院長が見るというのが制度上の役割分担だ。

そして行政院長が各省庁の大臣にあたる「部長」を任命するが、日本のように国会議員のなかから選び、政権の目玉とすべく名が通った人を民間から登用する、などということはない。**人気や知名度、あるいはコネクションの有無ではなく、なんらかの「プロフェッショナル」としての手腕を持っているか否かが問われる**のだ。

有権者への人気取りに走り、任命した大臣の無能さが露呈すれば、次の選挙ですぐに国民から手痛いしっぺ返しを食らわされることになる。逆にいえば、**能力がずば抜けていれば、性別も、年齢も、学歴も、いっさい関係などない。この能力主義でフレキシブルなところが、台湾社会の強さの源のひとつ**なのだ。

オードリーにインタビューした際、失礼かとは思ったが単刀直入に投げかけたことがある。オードリーのような人物は、日本では大臣どころか政府に登用されることもないし、おそらく世の中に出てくることすらない。日本の政治の世界や社会では、いくらオードリーに能力があっても、セクシャリティだったり、年齢だったり、学歴だったりに関して、お決まりの「前例がない」という言葉で門前払いされてしまうだろう、と。

私は半ば自嘲気味に言ったのだが、オードリーはそれほど日本を悲観していなかった。

「日本が遅れているのではなく、むしろ台湾が想像以上に先進的なんですよ」

たしかに、後述する同性婚の合法化も、蔡英文という女性元首の誕生も、オードリーのような大臣が出たのも、アジア全体から見ればかなり先進的だった。であるならば、社会の力を生み出し、政治を強くするためのフレキシブルさを養うため、台湾を手本にしつつ日本の国柄に合う政策を取り入れていくことは、私たちの国を変える大きなチャンスになるのではないだろうか。

13

同性婚への賛成派も反対派も、「家族の価値」が大切だと感じているのは一緒なのです

オードリーは、トランスジェンダーだということを公表している大臣としても、世界的に知られている。**自分がトランスジェンダーだと認識したのは20歳くらいのことだったというが、そもそも「男らしさ」「女らしさ」といった、性別に関する特定の意識などなかった**という。

2019年5月にアジアで初めて同性婚が法制化されるなど、いまでこそ台湾はLGBTの人々への理解について世界の最先端を走っているが、過去の台湾を見ると、多様性を認めたり、性差について開放されているような社会ではなかった。

むしろ、いまでも日本以上に保守的な部分もたくさん残っている。実際、ＬＧＢＴへの理解が進んでいるといっても、**親世代にとってはやすやすと受け入れられなかったり、自分が同性愛者だという認識を持っていても、家族にすら打ち明けられずに悩む人は多い。**

そうした少数派の人たちに手を差し伸べようと、たとえば台北のＭＲＴ（地下鉄）のホームには「ＬＧＢＴホットライン」の広告が出ている。広告主は「台湾同志ホットライン協会」という社団法人で、20年以上前に設立され、ＬＧＢＴの人たちとその家族からの悩みを電話相談で受けるサービスを行ってきた。

ホットラインは「カミングアウトをどうやればいいのか」「子どもからカミングアウトされた」「ＬＧＢＴのパートナーからの暴力を受けている」といったさまざまな悩みを受けつけ、同じＬＧＢＴのカウンセラーに話を聞いてもらえるという。さらに、協会はＬＧＢＴの人権教育や、エイズ防止のための啓蒙（けいもう）活動のほか、年に一度、台北で大規模に行われるＬＧＢＴパレードの開催にもかかわっている。

また台湾では、ＬＧＢＴをテーマにした映画が多く製作され、ヒットを飛ばしているのも、社会のＬＧＢＴ理解を促進したようだ。

２０２０年に公開された『刻在你心底的名字（君の心に刻んだ名前）』は、40年近く続いた世界最長の戒厳令が解除されようとする１９８７年頃の台湾を舞台にした、男子高校生の物語だ。同年公開の台湾映画としては第2位となる興行成績を打ち立て、ＬＧＢＴをテーマにした台湾映画として史上最大のヒットを記録している。ＬＧＢＴに対する理解が乏しいどころか、言論の自由さえなかった戒厳令の時代に、性差を超えて愛情を育んだというストーリーが、多くの台湾人の支持を受けたのだろう。

日本でも２０１９年に『きのう何食べた？』という、ゲイのカップルを主人公にした漫画がドラマ化された。私は台湾で放映された再放送を見たが、おそらく10年前だったら日本のテレビで同性愛を前面に打ち出したドラマが放映されることはなかっただろう。そう考えると、日本社会も変わりつつあることは間違いないのだろう。

自分がトランスジェンダーだと認識したオードリーは、男性ホルモンの濃度を検査したところ、年配者くらいの程度しか存在せず、男女の中間くらいだったという。ただ、それでもオードリーが悩むことはなかった。

セクシャリティの問題に限らず、幼い頃から両親はオードリーに対し、「こうでなくてはいけない」という教育を決してしなかったというのは前述の通りだ。**「答えはひとつし**

かない」ということはありえない、という価値観で育ってきたオードリーにとって、性別も例外ではなかったのである。

「男らしく、女らしく」という思い込みがなかったおかげで、性について特定の固定概念を持つことがなかった。さらに、オードリーの〝主戦場〟であるインターネットの世界では、性別は不要の概念だ。

性別適合手術により、20代で肉体的には女性へと移行したが、自分が男性、女性のどちらかに属するとも思っていない。事実、政務委員に就任するとき性別欄には「無」と書いている。そうしたマインドのおかげで、物事を考えるときも「男女」という枠にとらわれず自由に思考できるという。

「幼少期からいじめを受けた経験があり、セクシャリティの面でも少数派の気持ちを理解できるなど、社会のすべての立場、とりわけ弱い立場の人たちの心に寄り添えるというアドバンテージが、自分にはあります」

オードリーは、過去のつらい経験がまるでなかったかのような笑顔で話す。

同性婚に対しても、オードリーの見方は鋭い。2018年秋、台湾では地方統一選挙とともに、いくつかのテーマについての国民投票が行われた。そのうちのひとつが、同性婚の合法化に賛成か否かというものだった。同性婚への反対を主張する人たちの意見のなかには、「同性婚を認めたら家族の価値が破壊される」というものもあった。しかし、オードリーに言わせれば、そんな単純な話ではない。

「同性婚への賛成派も反対派も、『家族の価値』が大切だと感じているのは一緒なのです」

ただ一緒に暮らしたいだけならいくらでも可能なのに、なぜ同性婚の権利を求めるのか。それはつまり、やはり「家族になりたい」と望んでいるからなのだ。

そこでオードリーが、いつも口にする言葉が出てくる。

「家族になるというところにこそ、同性婚に賛成する人も反対する人も『共通する価値』を見つけられるわけです」

Audrey's words

14

誰もが受け入れられるような、新しい解決策を創造するのが本当の民主主義の意義

オードリーが小さい頃から、父親は「標準的な答え」というものを与えようとしなかったという。そのため、**世の中に「標準的な答え」というものが存在することすら思いつかなかった**そうだ。

前にも触れたように、「1+1は?」と聞かれるだけでは、オードリーは標準的な答えを出せない。小学校1年生のとき、算数の授業で「1+1=2」と教えた先生に**「それは"進数"を見なければわかりません。もし二進法だったら、1+1は2ではありません」**と発言したように**「私たちが普段使う十進法という前提条件におい**

て、1＋1はいくらか？」と聞かれて初めて、オードリーは「2」と答えられるのだ。

そんなふうに成長してきたオードリーだから、政治の世界にかかわるようになっても、政務委員になっても、「政治とはこうでなければいけない」というひとつの答えを求めるようなやり方に陥ることはなかった。

たとえば、台湾では2012年にプログラマーの高嘉良（こうかりょう）によって、ネット空間で意見交換するコミュニティ「g0v零時政府」（以下、g0v（ガブゼロ））が立ち上げられた。政府に対し、情報公開を求めるとともに、民間の意見を政策に反映させるためのプラットフォームだ。のちにオードリーが立ち上げにかかわった「Join」や「vTaiwan」にも共通するコンセプトである。

「g0v」は、インターネットのドメインで政府機関を表す「gov」の「o」（オー）を「0」（ゼロ）に変えている。そこには、政府機能をゼロから考え直すという意味が込められている。オードリーも「g0v」に参加しており、このコミュニティはのちに「太陽花（ヒマワリ）学生運動」が起きた際に、立法院内部の模様をリアルタイムで全世界に発信する役割を果たして、広く知られるようになった。

面白いのは、この「g0v」というコミュニティが、ネット上の「オープンソース」が持つ「自由」「協力」の精神を受け継いでいることだ。何度か言及したように、オープンソースとは、誰もがアクセスできるよう、ネット上に設計されたコードを公開し、好きなように修正したり、アドバイスしたりすることができるプログラムのことだ。

そうしたオープンソースの精神を、政治にも役立てようとしたのだ。**既存の「政治とはどうあるべきか」という価値観をなくし、ゼロから——イチからでもなく——考え直そうということ**である。

アジアで初めて合法化された同性婚も、既存の政治手法では社会のコンセンサスを得ながら法制化し、台湾の人々に受け入れてもらうことはできなかっただろう。同性婚に対する賛否は人それぞれだが、オードリーたちが弱者に手を差し伸べるとともに、社会で意見が割れるような問題をどのようにコンセンサスに導いていったかのプロセスを見ることは、日本人にとっても大きなヒントになるかもしれない。

2017年5月、憲法裁判所にあたる「大法官会議」は、民法が定める「婚姻は男女それぞれの結合関係による」という結婚の条件が、同性婚の自由を保障しておらず違憲だという判断を下した。この「大法官解釈」と呼ばれる判断は実質的な強制力を持っているため、国会にあたる立法院は、2年以内に関連する法律を整備しなければならなくなったのである。

この判断は当時大きなニュースとなり、アジア初の同性婚合法化が実現したことで、台湾の先進性を感じた人も多かったのではなかろうか。

ただ、台湾は一見自由に見えて、実は保守的な部分もたくさんある。

アメリカに留学し、普段は外資系企業でバリバリ働いて高給をもらっている人でも、「家」や「親」に縛られ、自由な結婚ができないでいる。よくも悪くも、子である以上、親の意向に逆らえないという人も少なくない。

台北の街には東西に貫く「忠孝東路」という幹線道路がある。「忠孝」とは、親に孝養を尽くしなさいという意味だ。**テレビニュースでも、「孝親」（親孝行）の美談がしばしば報じられるように、日本ではあまり重要視されなくなった価値観を色濃く残しているのも、また台湾の姿**なのだ。

そんな保守的な部分と先進的な部分が同居しているような社会環境だから、いくら政治の世界で「同性婚推進」などと旗振りしても、保守層からの反対は根強かったのである。

２０１８年秋、ちょうど4年に一度の統一地方選挙が行われることになっていた。そこで反対派の団体は、同時に行われる「国民投票」で同性婚への賛否を議題にかけるキャンペーンを繰り広げた。

ただ「大法官解釈」によって、２０１９年5月までに同性婚が法制化されることは、すでに決まっている。つまり、国民投票で「同性婚反対」の票が過半数を上回っても、どっちみち同性婚は法制化されるのである。国民投票の結果は、いわば政治的な努力目標となるだけで、法的拘束力はないからだ。

では、反対派はなぜこんなことを行ったのか。それは、同性婚の法制化にあたって、民法が改正されるのを防ぐためだったといわれている。

仮に、同性婚実現のために民法が改正されると、同性婚も異性婚も同じ位置づけとなる。すると、義理の両親や義実家という「家」と「家」との関係が生まれてくるし、相続や、養子縁組によって子どもを持つというような問題も出てくる。婚姻関係が発生することで、結婚する当事者ふたりだけの問題ではなくなるのだ。

結局、国民投票では同性婚について反対多数という結果になった。同時に行われた統一地方選挙も、与党民進党が大敗した。そこで政府は反対も根強いという民意を汲み取り、民法改正ではなく新たに別の法律をつくることにしたのだ。

では社会が分裂し、答えが出せない状況をどう打開したのだろうか。オードリーに振り返ってもらった言葉を見てみよう。

「異性婚と、同性婚の場合の違いというのは、家と家との関係性が生まれるか否かという部分が異なるだけなんですよね。それ以外の、結婚する当事者の権利だとか義務といった部分はきちんと保障されています。ですから、同性婚を法律として認める場合に、婚姻関係は当事者のみに発生して、家と家のあいだにはなんら影響を及ぼさないようにするという方法が、『イノベーション』として出てきたわけです」

つまり、同性婚に関する法律をつくるにあたって、反対派が同性婚の法制化に反対とはいっても、当人同士が結婚することまで反対するわけではないと判断した。そこで、現行の民法に準じて、遺産相続や社会保障、税金、財産の扱いなどは異性婚と同様の権利を認めたのだ。

一方で、民法で定められた配偶者同士の姻戚関係（たとえば相手の親や兄弟も一親等、二親等とすること）については、国民的なコンセンサスが得られていないので、とりあえず踏み込まなかった。こうして、反対派からも推進派からも、お互いの意見を汲み取って「共通の価値観」を探し出し、どちらも受け入れられるような法案に落ち着いたわけだ。

従来は、結婚といえば男女によるものだというのが「標準の答え」だった。しかし、それに同性婚が加わり、結婚を考える場合の前提条件が変わった。そんなとき、これまで慣れ親しんできた標準的な答えを手放し、どのように新しい答えを探すべきだろうか。

その答えのヒントが「共通の価値観」だ。同性婚推進派も、異性婚と同じ権利を完全に認めさせるという〝ゴリ押し〟はしない、という態度だった。そこで、**反対派も賛成派も、最大公約数の人が「この方法なら受け入れられる」という答えを探し出した**わけだ。

民主主義の根幹は、自分の意見を自由に表明できることにある。ただ、社会には自分とは異なる意見の人もたくさん存在する。誰もが好き勝手に意見を言っていたらきりがないので、多くの人が（少なくとも過半数以上の人が）納得できる意見を採用しましょう、というのがシンプルな民主主義のやり方だ。

ただ、**勘違いしてはいけないのは、多くの人の意見が採用されれば、少数の人の意見は見向きもされなくていい、というわけではないこと**である。民主主義では、100パーセントの勝利というものはありえない。たとえ多数派であっても、少数派の意見をまったく顧みないなどということはできない。なぜなら、それが社会の分裂を招くからだ。

オードリーが言うように、**「最終的に誰もが受け入れられるような、新しい解決策を創造するのが本当の民主主義の意義」**なのである。

最後にオードリーの言葉をもうひとつ。

「新しい解決方法を創造するには、古い考え方に対するCritical Thinking（クリティカル・シンキング＝批判的思考）に、現代社会に生きる私たちの多くが受け入れられる「共通の価値観」を加えた、未来へのCreative Thinking（クリエイティブ・シンキング＝自由な思考）を行うべきなのです。これが『標準的な答え』に囚われない思考方法なのです」

第3章

「危機」を即座にチャンスに変える加速思考

Audrey Tang

Audrey's words

15 前例や慣習に囚われ、限られた人たちだけで進めていたら、デジタル革命は間違いなく不可能でしょう

「台湾政府のやり方は、とにかく〝朝令暮改〟が当たり前だ」と言うと、「台湾政府は、そんなにしょっちゅう方針を変えるのか？」「一度決めた計画を、そのまま実行しないのはマズいのでは……」といったマイナスのイメージを抱く人も多いだろう。

実は、ここで言う**「朝令暮改」とは、決して悪いことではない。というより、台湾では政府だろうと企業だろうと、朝令暮改は当たり前の光景**なのだ。

たとえば、第1章でも登場したオードリーが主宰するチーム「ＰＤＩＳ」は、直面している社会問題や環境問題の解決を目指し、ネット上で「コラボ会議」を開催している。

ご購読ありがとうございました。今後の出版企画の参考に致したいと存じますので、ぜひご意見をお聞かせください。

書籍名

お買い求めの動機

1　書店で見て　　2　新聞広告（紙名　　　　　　　　　　）

3　書評・新刊紹介（掲載紙名　　　　　　　　　　）

4　知人・同僚のすすめ　　5　上司、先生のすすめ　　6　その他

本書の装幀（カバー），デザインなどに関するご感想

1　洒落ていた　　2　めだっていた　　3　タイトルがよい

4　まあまあ　　5　よくない　　6　その他(

本書の定価についてご意見をお聞かせください

1　高い　　2　安い　　3　手ごろ　　4　その他(　　　　　　)

本書についてご意見をお聞かせください

どんな出版をご希望ですか（著者、テーマなど）

郵便はがき

料金受取人払郵便

牛込局承認

9410

差出有効期間
2021年10月31日まで
切手はいりません

162-8790

東京都新宿区矢来町114番地
神楽坂高橋ビル5F

株式会社ビジネス社

愛読者係 行

ご住所 〒 TEL:　(　　)　　FAX:　(　　)		
フリガナ お名前	年齢	性別 男・女
ご職業	メールアドレスまたはFAX メールまたはFAXによる新刊案内をご希望の方は、ご記入下さい。	
お買い上げ日・書店名 年　月　日　市区町村　書店		

この会議の特徴は、まず大まかな方針のみを決め、細かい手順は随時修正していくやり方で、さまざまなプロジェクトを進めていることだ。

ただし当初は、最初にきちんと政策立案し、多方面からのチェックを受けながら計画に沿って推進していくという、これまでの政策決定プロセスとはかけ離れていることから、批判も多かったという。

こうした批判について、オードリーはこう答えている。

「朝令暮改と言っても、決してプロジェクトを取りやめるわけではありません。前に進むことに変わりはないのです。ただ、いま走っている道が渋滞だったから、別の道を探しただけのことで、目指す目的地は同じなのです」

実はマスクマップが数日で公開され、短期間でパニック回避に役立ったプロセスについても同様だ。公開当初は「バグ」（プログラム上の不具合）も散見された。だがオードリーにしてみれば、そんなことは当然、織り込み済みだったのだ。

「中国語には『閉門造車（ビーメンザオチャー）』という熟語があります。ブラックボックスのなかで慣例に従って物事を推し進めるという意味ですが、前例や慣習に囚われ、限られた人たちだけで進めていたら、デジタル革命は間違いなく不可能でしょう」

政府の政策に限らず、台湾は社会の変化のスピードがおそろしく速い。企業のビジネス戦略も、未完成な部分や詰めていない部分があっても「とりあえず動き出そう」という精神が旺盛だ。ダメならやめればいいし、変えるところは「走りながら修正していけばいい」というフランクさだ。

このフットワークの軽さが、台湾社会の変化を加速させている。もちろん、日常生活においては準備不足のまま走り出してしまい失敗したり、コンセンサスが取れていなくて先走りになったりすることも事実だ。

だが、**「失敗したらどうしよう」ではなく「失敗したら修正するか、やめてしまってもいい」というやり方は、プレッシャーの軽減にもなるし、気軽にチャレンジする雰囲気をつくり出すことにもつながる。**

一方で「全員の同意が取れるまで動き出せない」「責任を誰も取りたがらないからスタートできない」という日本社会のフットワークの遅さや反応の鈍さを見ていると、台湾のスピード感が「爽快」に感じることさえある。稟議（りんぎ）の書類に押す印鑑廃止などという前近代的なことを話し合うよりも、いかにして決裁までのスピードを加速できるか考えるべきなのではないだろうか。

中国大陸には、多くの台湾人ビジネスマンが家族とともに赴任している。中国で新型コロナウイルスの感染が拡大し始めると、台湾の大陸委員会（中国に関連する業務全般を担当する政府機関）は、台湾人の中国籍配偶者とその子どもの来台を受け入れる方針を発表した。しかし翌日、新型コロナウイルス対策のために設置された「中央流行疫情指揮センター」指揮官の陳時中は、強権を発動してこれを撤回させた。

彼は「台湾と中国どちらかの国籍を選ぶ際、中国の国籍を選んだ方には自己責任でお願いしたい」と説明し、あくまでも「台湾優先」で防疫政策を進める考えを示した。「なぜ、中国人配偶者まで台湾が受け入れなければならないのか」と、国民からの不満の声が高まっていたが、「即時撤回」を命じたことで、ネット上には陳時中を支持する声があふれかえった。

これはほんの一例で、台湾では政府の決定が二転三転することも珍しくない。しかし、国民から大きな批判の声は上がることが少ないのはなぜだろうか。

それは、**政府の「朝令暮改」は多くの場合、民意を迅速に反映するために行われる**からだ。もちろん、こうしたやり方は、いわゆる「ポピュリズム」を招く危険性がある。ただ、台湾の民主主義の特徴は、チェック機能が健全に働くこと。人気取りだけで中身がない、つまり国民の本当の利益にならない政策を掲げた政治家は、次の選挙で落とされ淘汰されることになる。

新型コロナウイルスとの戦いは有事である。有事だからこそ、一度決まったことでもフレキシブルに取りやめたり延期したり、やり方を変えるのは当然だ。前述のようにオードリーは、朝令暮改について「**いま走っている道が渋滞だったから、別の道を探しただけのことで、目指す目的地は同じ**」だと語っている。つまり、**国民の利益という〝目的地〟さえ変わらなければ、ルートをどんどん変えても問題ない**のである。

Audrey's word

16

デジタルを使える人間だけがDXに取り組んでも、成功はおぼつかない

台湾では、まだひとりも新型コロナウイルス感染者が確認されていなかった2020年1月16日の時点で、早くも「人間に感染する可能性がある」ということで、中国の武漢地区の危険レベルを引き上げた。

一方、同じ時期の日本では、厚生労働省の「ヒトからヒトへの感染リスクは確認されていない」という発表が繰り返し報じられ、むしろ国民の危機感は下がる一方だったといえるだろう。

2月3日、クルーズ船「ダイヤモンド・プリンセス号」が横浜港に入港する頃になると、

日本国内では急速に感染者拡大が進んだものの、春節（旧正月）の連休で来日する中国人観光客を歓迎するムードの盛り上がりに変わりはなかった。

他方、台湾は2月6日、中国からの入国を例外なく全面的に禁止。野党国民党から「人道上の問題だ」「経済に影響する」などと批判されながらも、与党民進党の蔡英文総統は中国との往来停止を断行したのだ。このように、危機の可能性が少しでもあるのならば準備を怠らず、監視体制を強化することが、有事における政府のあり方であろう。

そして、実際に日本と台湾の状況の差は、日を追うごとに広がっていったのである。

では、台湾側のコロナ対策に失敗はなかったのだろうか。

実は、台湾の新型コロナウイルス対策のシンボルともいえる「マスクマップ」について、ほかならぬプロジェクトの中心人物であるオードリーが、**「実は失敗だった部分もありました」**と言っている。

マスクマップが功を奏し、政府のマスク増産体制と相まって台湾社会のパニックも収まりつつあった頃のこと。ある薬局に「マスクマップを信用しないでください」という貼り紙がしてあるという情報が入ってきた。早速、確認すると事情はこうだった。

マスク購入は枚数制限があるため、健康保険カードを薬局で提示して購入することになっているが、この店では開店の朝9時前から行列ができていた。そして、並んでいるあいだに客はお店の人から「このまま並んで受け取りますか。それとも健康保険カードを預けますか。預ける場合はお昼以降、好きな時間に取りにきてください」と言われたのだ。

この薬局では、並んでいるお客さんをさばくのに精一杯で、ひとりずつ健康保険カードをリーダーに通すヒマがなかった。そこで、希望する人には健康保険カードを預かり、夕方でも夜でも、好きな時間に取りにきてもらえるようにしたのである。店側は、お客が来るまでの空き時間にカードリーダーで購入登録をしようと考えていた。

ただ、オードリーが言うところのマスクマップの失敗、あるいは盲点がここにあった。

この薬局の場合、**朝9時にお客さんが行列をつくるということは、つまりは開店早々実質売り切れ状態だったということ。にもかかわらず、健康保険カードの購入記録が追いついていないため、その入力作業が終わるまで、マスクマップには「在庫あり」と表示されていた**のだ。

これに対し、なかには当然クレームをつける人もいたのだろう。そこで、この薬局では「マスクマップを信じないでください」と書いた紙を店先に貼り出したのだ。

この盲点に気づいたオードリーは、早速、マスクマップに「在庫なし」を表示できる機能をつけ加えた。薬局の人がこのボタンを押すだけで在庫がゼロとなり、売り切れ状態だということがわかるようにしたのだ。

これがまさに、いま世の中をにぎわせている「DX」(デジタルトランスフォーメーション)の実例だろう。この一件は、デジタルの力で簡単に解決したように見えるが、オードリーは次のようにつけ足している。

「デジタルを使える人間だけがDXに取り組んでも、成功はおぼつかないでしょう」

先ほどの薬局の人は、まさしくデジタルが不得手な人だったのだろう。だから「マスクマップを信用しないでください」という貼り紙を出したわけだが、そういう人の経験もシェアされたからこそ、マスクマップは弱点を克服してさらに使いやすくなったわけだ。

オードリーは言う。

「デジタルを使える人も使えない人も一緒になって参加しなければ、DXは決して成功しないんです」

17 デジタル行政は、決して私たちの方向性を変えるわけではありません

台湾における日本人社会でもオードリーの人気が高まるにつれて、講演に呼ばれることが増えてきた。

オードリーの講演は一風変わっている。登壇して原稿を取り出して読み始める、というスタイルではない。講演の参加者は事前に受け取ったメール、あるいは現場のモニターに表示されたＱＲコードをスマートフォンで読み取って「Ｓｌｉｄｏ」（スライド）というネット上のクラウドサービスにアクセスする。Ｓｌｉｄｏとは会議やイベントなどで、双方向のコミュニケーションができる、臨時のネット掲示板のようなものだ。

参加者はオードリーに聞いてみたいことを事前に、あるいは現場で入力する。講演開始とともに、オードリーは入力された質問に対し、講演時間が終わるまでマシンガンのようなスピードで答え始める。いわば、一般的な講演の際、講演終了後に行われる質疑応答をいきなり冒頭から始めるようなものだ。

このやり方はある意味、理に適(かな)っている。いくら講演テーマが関心のあるものだとしても、自分が本当に聞いてみたいと思うことを講演者が話すかどうかはわからないし、通常の講演スタイルであれば、聴衆の具体的な要望を講演者が把握する手段もない。

しかし、これならば聴衆は自分の聞きたいテーマを、ピンポイントでオードリーに伝えられるし、オードリーも同様に、オーディエンスが聞きたがっていることについて話すことができる。

こうした先進的なやり方について、オードリーが政治の世界に入るきっかけをつくった弁護士の蔡玉玲は、こう語っていたのが印象的だった。

「オードリーはデジタル担当政務委員として、人々が慣れていないもの、未知なるものを自分が積極的に活用することによって、デジタルを啓蒙しようとしています」

もうひとつ、オードリー自ら「透明性」を実践していることがある。それは、**自分の仕事のアカウントに届くメールをすべて公開している**こと。オードリーは自信を持って、次のように断言している。

「私のメールは完全に透明です」

彼女の仕事のアカウントに届くメールは、ほとんどが相談であったりアドバイスを求めたりするものばかりだ。そこで、送信者を匿名化し、特定できないようにしたうえで、メールの内容を公開しているのだという。

これによって、いわば「FAQ」が作成される。「FAQ」とは、説明書やマニュアルの巻末にある「よくある質問」の回答集だ。**頻繁に寄せられる質問に対する回答を公開することで、似たような質問や同じような内容を参照することができるし、オードリー自身も以前と重複するような回答を書く必要がなくなる**わけだ。

「台湾はデジタル行政が活発だ」と形容するのは簡単だが、その陰にはやはり一歩ずつ社会を啓蒙するオードリーたちの努力があるのである。

その一方で、オードリーは**「台湾はデジタル行政が受け入れられやすい社会ですね」**とも言う。インタビューの際、「なぜ台湾は、これほどまでにデジタル行政が活発なのか」と質問したところ、オードリーは次のように答えた。

「民主主義はこうじゃなきゃいけない、という『定型』の概念がありませんから」

台湾は1996年に初めて、国民が直接投票によって総統を選ぶ選挙を実現させた。これによって、台湾の民主化はほぼ完成されたといってよい。

それまでの台湾は、40年近くにわたる戒厳令による権威主義的な政治体制のなか、言論の自由や政治参加への機会を奪われてきた。台湾の人々は、1980年代後半から始まった民主化によって、初めて「民主主義」というものに接したのだ。

さらにオードリーはこう語る。

「それに拍車をかけたのがインターネットの登場です」

台湾は歴史的な経緯も相まって、政治の変化も激しかった。もともと共産党に敗れて中国大陸から逃げ込んできた国民党政府が台湾を統治していたが、国民党政府は「いつかは中国大陸に戻る」と言い張っていたから、政治体制から憲法にいたるまで、すべて中国大陸を統治するというベースで設計されていた。

やがて権威主義体制が崩壊し、民主化が進むと、オードリーが例として台湾の憲法が6回も改正されていることを挙げたように、台湾の統治に合わない制度は、次々と変えられていく。あたかも身体の成長に合わせて衣服を変えるようなものだ。

それに加えて、台湾の社会はまだ「若い民主主義」であるため、人々は政治に無関心ではいられない。中国が「台湾を併呑（へいどん）する」といつも脅しをかけているものだから、危機意識も強い。さらに**オードリーが「デジタル民主主義」を掲げ、ネット上のプラットフォームを整備して誰もが政治的な意見を表明したり、政府に要望を伝えたりすることを促進しているため、ますます政治参加の意識が高まり、デジタル行政も活発化している**わけだ。

日本のデジタル革命は、デジタル庁発足を控え、ますます本格化することになるが、オードリーの言葉は大きな示唆に富んでいる。

「デジタル行政は、決して私たちの方向性を変えるわけではありません。政府も国民も同じ方向を向いていることを忘れてはなりません」

行政のデジタル化が進むのは、歓迎すべきことだろう。現状では、民意を表現できるのは18歳以上で日本国籍を持ち、その地域の選挙権を持つ人だけであり、そうした人たちの民意を汲み取れるのは、地域の国会議員や地方議員だけだった。

しかし、デジタル技術を利用すればどうなるか。日本に住んでいるかどうか、18歳以上か以下か、はたまた日本人か否かに限らず、あらゆる人がいつでもどこでも、政府の問題点や社会の課題についての意見やすぐれたアイデアを社会に提案し、政府の政策に反映させることができるようになる。もちろん、提案された意見に反論することも自由だ。

つまり、**選挙の日程を待つことなく、常に立場の異なる人々と異なる価値観を共有することができるようになる**ということだ。これが日本のデジタル革命で台湾に学ぶべき最大のポイントだろう。

「政府も国民も同じ方向を向いている」というオードリーの言葉は、政府と国民のあいだに信頼があるからにほかならない。

たとえば、2021年1月、台北国際空港という空の玄関を抱える桃園市の病院で、医師の新型コロナウイルス感染が確認された。そのため、接触履歴のある5000人あまりの隔離、あるいは追跡調査が行われた。

それまで1年近く、国内で複数の感染者が出たことはなかったため、台湾社会に緊張が走る。桃園市政府は職員の市外への出張を原則禁止、人が集まるイベントはすべて中止とした。ただし、桃園には、在来線で30分あまりで行ける台北に通勤や通学する人も多い。そのため、台北市でも大型イベントが相次いで中止や延期に追い込まれたのだ。

感染者との接触が確認されれば、当然隔離の対象となり、人が集まる場所に出かけたりイベントに参加したりすることが制限される。海外から帰国した場合、2週間の隔離が義務づけられている。しかも、**隔離場所であるホテルの部屋から8秒間、廊下に出ただけで罰金を科された例もあったように、その運用は極めて厳格**だ。

ところが、こうした厳しい対応について、台湾の人々は「いたって当然」と捉えている。これは、政府がこの1年あまり行ってきた感染拡大防止対策が功を奏していると、国民が信頼しているからだ。さらには、そのための情報発信や説明責任を政府が着々と果たしてきたことも大きい。

日本でマイナンバー制度の推進にあたって「国家に個人情報を把握されるのが怖い」などという人がいるが、それは政府と国民の信頼関係の問題だ。個人情報を把握されるというのなら、政府よりもアマゾンのほうが、よほど人々の嗜好や生活習慣をよく知っているだろう。

日本では、マイナンバー制度の前段階ともいえる住民基本台帳ネットワークシステムの頃から、メディアや反対論者が政府による国民の管理ばかりを強調し、不信感が醸成されてきた部分もあるといえる。

しかし、結局はそうした**不信感を払拭する努力を怠り、情報発信や説明責任を十分に果たしてこなかったのは、やはり政府の責任**なのだ。政府と国民とのあいだに十分な信頼関係が構築され、さらにマイナンバー制度の運営がメリットになることを国民がきちんと理解しなければ、本当に役に立つ制度は確立できない。

政府はデジタル革命の核として、マイナンバー制度を掲げている。その成功のカギは、実は技術や利便性ではなく、国民からいかにして信頼を得るかにかかっているのである。

Audrey's words

18

社会イノベーションとは「みんなの問題は、みんなで助け合い解決する」ということです

オードリーがデジタルを通じて実現させたいもののひとつに、「社会イノベーション」というものがある。それについて、彼女自身は次のように定義している。

「社会イノベーションとは『みんなの問題は、みんなで助け合い解決する』ということです。政府が現在どんな政策を進めているかに関係なく、ある人がよいアイデアを考えたら、それを実行するだけでいいのです。誰かにお伺いを立てる必要もありません。マスクマップのように、よいアイデア

だと思ったら、みんなで助け合って実行すればいいのです」

このように社会イノベーションが始まった場合、政府の役割とは、全面的な「支援」であって「主導」することではない、とオードリーはいう。

「以前、よく耳にした『公民参加』とは、政府が議題を設定し、国民に広く意見やアイデアを提供してもらうことです。反対に、『社会イノベーション』とは民間でテーマを設定し、政府が協力して完成させるものです。政府は主体ではなく、方向性をコントロールしてはならないのです」

もちろん「公民参加」(市民参加)についても、オードリーたちの主導によってネット上のプラットフォームが整備され、環境はますます整ってきている。

ライドシェアサービスを展開するＵｂｅｒ(ウーバー)や、民泊仲介業のＡｉｒｂｎｂ(エアビーアンドビー)という新しいビジネス形態が台湾に入ってきた際、タクシー業界やホテル業界から大きな反対が起きた。

また、人々のあいだからは、資格もなく審査も受けない一般人がタクシー業や宿泊業に参加することにより、事故などが起きた場合の保険や安全性に対して不安の声が上がった。そうした状況のなか、前に進むために賛成派と反対派が話し合い、共通する価値観を見つけて、法律やルールを制定、改正していったのである。

国民の利益のためなら、「政策の朝令暮改など当たり前だ」と先に指摘したように、台湾社会には「一度始めたものを簡単に撤回してはいけない」などという考えは希薄だ。むしろ「こうでなければいけない」というような〝定型の答え〟を求めたがらない。

別の言い方をすれば、**これまで存在しなかったサービスを導入するのに、「試行錯誤」は当たり前**ともいえる。さまざまなやり方を試すうちに、もっとよい方法が見つかったらそちらに変えればいいという柔軟性が、社会の隅々にまで根づいているのだ。

ここでいう台湾社会が持つ柔軟性とは、発想の豊かさや固定観念に縛られない考えに加え、フットワークの軽さや気持ちの切り替えの早さも含んだものだ。そして、こうした柔軟性から、あとで詳述する「多様性」、そして「誰も置き去りにしない」という「インクルージョン」という概念へとつながっていくのである。

こうした台湾が見せる柔軟性、多様性の例として、ピンクマスク事件が挙げられる。

マスクの実名販売制が軌道に乗った2020年4月のこと。中央流行疫情指揮センターのホットラインに、小学生の息子を持つ母親から電話があった。聞くと、息子が「ピンクのマスクを学校にして行ったら、同級生に笑われてしまったので、もうマスクをしたくない」と言い出したという。この頃はまだ、マスクの供給量に余裕がそれほどなかったため、自分の好きな色や柄を選ぶことなどできなかった。

そして、その翌日。定例記者会見に登場した陳時中指揮官をはじめとする指揮センターの幹部たちを見て、記者たちは首をかしげた。**なぜか全員が、そろってピンク色のマスクをしていた**のだ。記者会見の席上、陳指揮官は男子児童の母親から寄せられた電話を紹介するとともに「あなたを守るのに、マスクは何色でも関係ないよ」と呼びかけた。そしてこうつけ加えたのだ。「私は小さいとき、ピンクパンサーが大好きだったんだよ」と。

ここまでならば、対策本部の幹部たちが男の子に呼びかけた美談で終わっただろう。ところが、驚かされるのはここからである。

まず、首相に相当する行政院長の蘇貞昌や交通部長（国土交通相に相当）の林佳龍（りんかりゅう）ら「おじさん」大臣たちが、積極的にピンク色のマスクを着用しアピールし始めた。間髪を入れず、総統の蔡英文が「男の子でも女の子でも、ピンクは素敵な色」と、自身のフェイスブックに投稿。すると「ピンクは女の子だけの色じゃない」というムーブメントが、台湾社会を動かし始めたのである。

政府機関は、フェイスブック上に掲載しているロゴマークをピンク色に変え始めた。敵対する野党の国民党も一緒に、である。さらには、ファミリーマートや、マクドナルド、ケンタッキーフライドチキンといった日本でもおなじみの企業から、台湾ビール、台北MRT（地下鉄）、銀行、テレビ局、美術館、動物園へと〝ピンク化〟の波が広がっていった。そして、ついには個人のアカウントも含め、ありとあらゆるフェイスブック上のロゴが、ピンク色に変わっていったのである。

また、ネット上では「#ColorHasNoGender」（色に性別は関係ない）というハッシュタグがつけられ、SNSで拡散された。**男の子の「ピンクは女の子みたいで恥ずかしい」というひと言で社会がこぞって動き出し、「ピンクは女性の色」という固定観念を打ち破る〝事件〟にまで発展した**のである。

このムーブメントが素晴らしいのは、政府のみならず企業や個人といった社会全体が同じ目標のためにひとつにしたことだ。まさにオードリーの言う「社会イノベーション」の実践である。こうした〝事件〟が積み重なるたびに、台湾社会は力をつけ多様性を身につけてきた。

かつてのランドセルがそうであったように、〝暗黙〟のうちに、男の子は黒、女の子は赤という「性別の色」が決まっていた。この〝暗黙〟こそが、実は社会の多様性を阻み、ムダな萎縮を生み出す同調圧力といえるだろう。

「ピンクは女の子の色」と枠にはめて子どもに固定概念を植えつけるのではなく、まさにオードリーの両親が、トランスジェンダーという子どもの「個性」を認め、応援したように、**「あなたが選んだ色なら、どんな色でも素晴らしい」と言ってあげられることが、社会の強さ**なのではないだろうか。

Audrey's words

19 自分とは異なるさまざまな考え方をする人の話を、絶え間なく聞き続けていく

コロナ禍以前のこと。日曜日の昼下がり、台北駅のコンコースを歩くたびに、一種異様な光景に出くわした。

何百人という人たちが広大なコンコースのあちこちで地べたに車座になり、おしゃべりに花を咲かせているのだ。彼ら、彼女らはベトナムやフィリピン、インドネシアといった東南アジアから台湾へ働きに来ている人たちで、女性はメイドや介護に、男性は工事現場や農業などの肉体労働に従事する人がほとんどだ。

台湾では１９９１年からブルーカラーの外国人労働者を受け入れており、その数は

2019年の統計で70万人を超えている。日曜日には、同じ国の仲間たちと料理を持ち寄ったりして集まるが、故郷へ仕送りしたり貯蓄のために、なるべくなら節約したい。そこで、みんなが集まりやすく、スペースがあり、暑い夏でもエアコンがきいていてお金のかからない場所ということで、日曜日の台北駅のコンコースは、いつの間にか外国人労働者であふれかえるようになったのである。

ところが、2020年2月、新型コロナウイルスの感染拡大防止のため、鉄道局がコンコースでの座り込みを禁止することを発表した。大人数が屋内に集まることによる感染拡大を防ぐためには、やむを得ないことだ。

ただ、状況が落ち着いてきた5月になり、台湾の若者たちが声を上げ始めた。ネット上で呼びかけられた若者500人がコンコースに集まり、利用再開を訴える座り込みの抗議を行ったのである。

参加者のひとりは**「外国人労働者は日曜日しかここに集まらない。それなのに、コンコースの使用が問題視されるたびに外国人労働者が悪者とされた。これは彼らに対する差別だ」**と語った。

繰り返すが、**抗議に参加したのは台湾の若者たちであって、外国人労働者たちではない**。しかし、台湾の若者たちは、日頃、街なかでよく見かける外国人労働者たちが槍玉(やりだま)に挙げられ、排除されるのは「民主的ではない」と反対したのだ。

たしかにその頃になると、台湾の新型コロナウイルスの状況は落ち着いてきていた。そのため鉄道局は「コンコースの座り込み禁止の決定は永久ではない」と発表するとともに、コンコースの開放について議論することを約束したのである。

この出来事は、台湾が外国人労働者や移民といった多元的な文化を受け入れ、友好的に共存していることを象徴しているものといえるだろう。

その多様性の源流はどこにあるのか。ひとつは、台湾は元来、多民族社会だったということが挙げられよう。もともと台湾に住み着いていたのは、マレー・ポリネシア系の先住民（台湾では「原住民」と表記）と呼ばれる人たちだ。

最新の研究では、マレー・ポリネシア系の人々は、台湾からハワイやニュージーランドへと散っていったとされている。ラグビーのニュージーランド代表「オールブラックス」が試合前に踊る「ハカ」は、先住民マオリ族が狩猟や戦闘の前に踊ることで有名だが、そのマオリ族のルーツも台湾の先住民とされているのだ。

さらに、数百年前に中国大陸沿岸の福州近辺から、漢族系の人たちが台湾へやってきた。戦乱や飢饉を嫌い、台湾に新天地を求めたのである。彼らの多くは、台湾本島西部の平地に住みついた。その子孫が「本省人」と呼ばれる人たちで、現在の台湾の人口の7割以上を占めるとされる。

本省人よりも遅れて、やはり中国大陸の広州あたりから台湾にやって来た人たちが「客家」だ。また、第2次世界大戦後の国共内戦で共産党に敗れ、国民党とともに台湾に逃げ込んできた人たちが「外省人」である。

このように、台湾はただでさえ多民族社会なのに加え、近年は主に東南アジアから台湾人家庭に嫁入りする女性の割合が激増している。彼女たちは「新住民」と呼ばれており、**数年前にはカンボジア出身の女性が初めて立法委員（国会議員）に当選**したほど、台湾社会における存在感が増している。台北の小学校における、母親が新住民の児童の割合は9・1％（2019年の統計）とされるから、**台北市の小学校の教室をのぞくと、10人に1人ほどの割合で、新住民の子どもがいることになる**。

つまり台湾の子どもたちは、小さい頃から自分たちとは違う顔立ち、中国語や台湾語以外の言葉も話す同級生、家に遊びに行けば普段見慣れた自宅の食事とは違う料理が出てくるクラスメートとともに日常を過ごしているのだ。そのため、**「異なるもの」「違うこと」に対する〝違和感〟ではなく、「違って当たり前」という価値観が自然に育まれる**のである。

その結果どうなるか。先ほど紹介したように、日頃よく見かける外国人労働者が仲間と集まるささやかな場を奪われていると知れば、彼らに共感（エンパシー）を持ち、「それは差別であり、民主的ではない」と立ち上がるのだ。つまり、**「違って当たり前」という価値観が共感へと昇華**するのである。

オードリーは、「寛容性」や「多様性」を身につけるためにどうすればいいかと聞かれた際、**「自分とは異なるさまざまな考え方をする人の話を、絶え間なく聞き続けていくこと」**と答えた。

近年、「エコーチェンバー現象」というものが問題視されている。「エコーチェンバー」とは、音楽のレコーディングスタジオなどにある、長い残響が生じるように設計された部屋のこと。この部屋で声を出すと、自分の声が反響して増幅されて返ってくる。

そこから「エコーチェンバー現象」とは、ツイッター、フェイスブックといったSNSにおいて、同じような価値観、意見を持つ人が集まる閉ざされたコミュニティ内でのみコミュニケーションをかわすうちに、ある特定の考え、情報、信念が増幅、強化され、それらと異なる意見がかき消されてしまうことを指す。当然、そこからは多様性、他者への共感といったものは生まれてこない。

反対に、自分とは異なる文化、異なる世代、異なる場所にいる人の話を聞き続ければ、おのずと世界には自分とは違う意見や価値観がたくさんあることに気づく。そのうえで、さまざまな考えに触れることにより、変わらない価値観や普遍的な考えがあることにも気づくのである。

そんな**台湾の多様性を象徴し、かつリードしているのがオードリー**なのである。彼女は、自身の価値観の形成について、育ってきた環境を振り返りつつ、やや苦笑いしながら、こう語ってくれた。

「私は3つの幼稚園、6つの小学校、1つの中学校で学び、毎年のように異なる環境に身を置いてきました。つまり無意識のうちに、異なる価値観を受け入れる訓練を受けることができたというわけなのです」

Audrey's words

20

誰もが多数派に属することもあれば、ときには少数派に属する場合もあるわけです

オードリーが大切にしている概念のひとつに「共融」がある。中国語で「インクルージョン」を表す言葉だ。P22でも触れたように、「インクルージョン」を簡単に言い表せば「誰も置き去りにしない」ということだ。

オードリーに、もう少し詳しく説明してもらおう。

「インクルージョンとは、たとえば〝ゼロサム〟のように『ひとつ増えれば、ひとつ減る』というものでは決してありません。誰かが入れば、他の

人が押し出されてしまうような考え方ではないのです」

台北市内には、都市計画の一環でいたるところに大規模な公園がつくられている。あるとき、見慣れないブランコを見つけた。最近は、私たちが子どもの頃にはなかったような遊具もある。そこで、新しい遊び方をするブランコなのかと思って近づいてみたところ、驚いた。「車椅子ブランコ」と表記してあったのだ。

ブランコには、車椅子の人が電車に乗るときにホームと車両のあいだに置かれるスロープのようなものが設置されている。そして、車椅子をブランコに乗せると、付属のシートベルトで固定し、揺らしながら遊ぶ、というものである。

この公園は、台北市が2016年から進める「Play For All」政策によって設置された「インクルージョン式公園」だった。**車椅子のまま乗れるブランコのほか、段差を設けない砂場、障害がある子どもでも遊べる滑り台や回転遊具が設置**されている。

台北市が掲げる「インクルージョン式公園」の理念には、次のようにある。

「すべての子どもたちがインクルージョン式公園で、共通点と相違点を見極め、お互いに学び、寛容になることで『インクルージョン』が社会の重要な価値観と精神になることを期待しています」

インクルージョン式公園で、車椅子に乗る子と一緒にブランコで遊べば、世の中には身体に障害を持つ人もいれば、自分たちと同じように動くことができない子どももいることがわかるだろう。その経験を通して、障害を持った子どもたちと自分たちは、どうすれば一緒に生活することができるようになるだろうと考える。それがまさに「誰も置き去りにしない」という「インクルージョン」が求める発想なのである。

オードリーの口からも、たびたび「インクルージョン」という言葉が飛び出してくる。たまたま車椅子ブランコを見つけた直後にインタビューを行ったので、話題に出してみたところ、次のような意見が返ってきた。

「車椅子ブランコを使うのは、障害を持った子どもだけではありません。もしかしたらケガをして、限られた期間だけ車椅子を使う子どももいることでしょう。誰もが多数派に属することもあれば、ときには少数派に属す

る場合もあるわけです。マイノリティを経験した人間は、自分がその他大勢になったときでも、少数派の人たちを排除するようなことをしなくなるのです」

インクルージョンという概念は、先述した「多様性」を意味する「ダイバーシティ」とも密接に関連する価値観だ。繰り返すが、台湾には複数のエスニシティ（民族）が共存し、多文化社会を築いてきた。

また、**総統が女性なのを見てもわかるように、台湾は女性の社会進出も盛んだ。**女性経営者も珍しくなく、台湾新幹線（台湾高速鉄道）も台北101ビルも、初代董事長（社長）は女性だった。まさに、台湾社会が多様性を認め、受け入れている証しといえるだろう。

ダイバーシティを踏まえて、次のステップに必要なのが、オードリーが語る「誰も置き去りにしない」というインクルージョンの考えだ。

前述の、車椅子でも利用できる公園を例にしてみよう。

公園で子どもたちが遊んでいるところに、車椅子の子どもがやって来たとする。そこで子どもたち同士が違いを認め、一緒に遊ぼうと声をかけることが、ダイバーシティの第一歩の始まりである。

ただし、車椅子の子と一緒に遊ぶだけでは「多様性を受け入れた」段階にすぎない。いくら一緒に遊ぼうといっても、公園で健常者の子どもと車椅子の子どもが同じ遊びをするのは限界がある。そこで、政治の出番である。

行政のリードで、車椅子のまま乗ることのできるブランコや、バリアフリーの砂場を設置する。それにより初めて、健常者の子どもと同じように、車椅子の子も一緒になって遊べる環境が整う。これが「インクルージョン」、つまり「誰も置き去りにしない」という考え方である。

「誰も置き去りにしない」は、「活躍の場が平等に準備されている」とも言い換えられる。多様性を受け入れるダイバーシティと相まって、社会で実践されるべき価値観だ。

この項の冒頭で、中国語で「インクルージョン」を表す言葉は「共融」だと書いた。まさに言い得て妙で、多様性を受け入れて**「共に生きる」だけではなく、「共に融合する」ことこそが「インクルージョン」のカギ**なのである。

台北市政府（台北市役所）は、現在計画中のものも含めれば、「インクルージョン式公園」を70カ所近くに増やす予定で、市民からの評価は非常に高くなっている。

だが実は、台北市内の公園の改修に対する市民からの反応は芳しくなかった。危険な遊具や、基準に合わない遊具を撤去した結果、せっかく整備しても、子どもに飽きられたり、見向きもされない遊具ばかりの公園が生まれたりするだけだったという。

そこで市政府は方針を転換し、公園に対する市民の要望を取り入れることにした。安全性の向上を求める意見、障害のある子どもたちの権利を訴える声が、市民団体を通じて届き、その結果生まれたのが「インクルージョン式公園」だったのだ。

つまり、**人々が声を上げ、行政も含めて意見を自由に戦わせた結果、オードリーが目指す「共通の価値観」の確立が「インクルージョン式公園」というかたちで、リアルの世界において実現した**といえるのである。

第4章

「能力」を最大限に引き出す多元思考

21

実際、2歳とか3歳の子どもというのは非常に創造的なのですが……

ここまで「答えはひとつではない」という教育が子どもの創造力を伸ばすと書いてきたが、時代はむしろ想像以上に早く進んでいる。もはや「答えはひとつではない」どころか「標準的な答えが存在しない」問題が次々と現れる社会になっているのだ。

国立台湾大学といえば、日本統治時代の台北帝国大学の後身で、いまも昔も台湾随一の名門校だ。この台湾大学にいま学生が殺到している授業がある。この授業はいわゆる「一般教養」の科目で、**卒業するために必修だとか、有名人が教壇に立つというわけでもない**

のに、授業を受けられる48人の空きをめぐって、今学期はなんと1700人の学生が申請したという。

これは台湾大学が開設するリーダーシッププログラムのひとつで、学生は二度の面接と週末に行われるワークショップの結果で合否が決まる。決して面白いとか、単位を取りやすい、というわけではない。

学生たちがそこまでしてこの授業を受けたがるのは、「CTPS」(Critical Thinking and Problem Solving)、つまり「問題解決の理論と実務」が学べるからだ。この授業を開設した李聖珉(りせいみん)はこう話す。

「台湾の学生は『見たことのある問題』を解決するのは非常に得意です。どうやればいいか教えてもらえれば、きちんと解決できます。しかし、この授業では『見たことのない問題』を解決する能力を教えているのです」

李聖珉はかつてマッキンゼーのコンサルタントを振り出しに、台湾のITや通信の企業で働いてきた。企業のDX(デジタルトランスフォーメーション)や、新型コロナウイルスの発生など、こうした問題には「標準的な解答」というものが存在しない。**いままで存在**

しなかった問題を解決するためには、変化に対応するフレキシブルさとイノベーションが重要だ、と李聖珉は話す。

この授業において、毎学期、李聖珉とアシスタントで構成されるチームは、あらゆる企業を訪問し、最終的に8つのプロジェクトを作成する。企業側は、営業成績を伸ばしたいとか、会員数を増やしたいなどといった目標を持っており、学生側は半年間を使ってそうした問題解決の手助けするわけだ。

学期中、学生は常に企業が抱えている問題の明確化と、企業側とのコミュニケーションを行わなければならない。そして、学生たちが提出する解決方法は、企業が現実的に実行可能という制限のなかでの「イノベーション」が求められる。

ただ、半年間という学期のなかでプロジェクトを完成させるため、学生に課せられる負担は小さくない。3単位分の授業ではあるが、毎週行われるディスカッションやプレゼンテーションの準備の時間を合わせると、**週に10時間以上がこの授業だけに費やされる**ことになる。

クラスが開講してから7年目を迎えたが、現在ではビジネスを学びたいという学生だけでなく、医学部や工学部の学生も履修しているという。

いまや日本でも医学部を卒業しても、そのまま医師になる道を選ばず、企業に就職する道を選ぶ学生が出てきている。医療現場の人手不足による多忙さや、大学病院などの不祥事で、医師という職業に魅力を感じられなくなった人材が、医療系のビジネスやベンチャー企業への道を選ぶようだ。

社会の変化のスピードはますます加速している。経験したことのない問題を解決する能力を養わなければ、これから社会に出ていく子どもたちはどう危機に対処するのか。企業はどうやって転身を図ればよいのか。その点、**「手元にある情報を応用して、『標準的な答え』のない問題を抽象的なスキルで解決する能力を身につければ、必ず将来の価値になる」**と李聖珉は話す。

では、そうした能力を育成するために、（李の授業を受けられない）私たちは何ができるのか。オードリーの意見を聞いてみよう。「あなたが持つ創造力は天性のものなのか」という質問に対し、オードリーはこう答えている。

「実際、2歳とか3歳の子どもというのは非常に創造的なのですが……。

ところが、成長していく過程において、親が『これが標準的な答えだよ、ほかに正解はないよ』と教えることで、子どもの創造力が削がれていってしまうのです。言い換えれば、子どもは標準的な答えを出すために自分を犠牲にしてもいい、ということになってしまいます。すると、子どもはだんだんとマルクスがいう『疎外』の状態となってしまうのです」

オードリーがいう「疎外」とは、ベルトコンベアを使った単純作業のように、本来、人間がつくったシステムにもかかわらず、作業員がベルトコンベアの一部のように組み込まれ、機械に支配されてしまい、人間らしさを失ってしまった状態のことである。

では、子どもの創造力を伸ばすためにはどうすればいいのか。アドバイスとして、オードリーは「アート思考」を挙げる。

「アート思考」とは、端的に言ってしまえば「アーティストの創造性に着目し、アートを生み出すプロセスから学び取る思考法」だ。**「アートとは、既存の価値観にまったく固執することなく、インスピレーションによって想像したものを可視化**

して、ほかの人に見せることです」と、オードリーは語る。

アーティストは、芸術によって自分自身を探求し、自己の作品を通じて社会への意見を表現したり、新たな価値を創出したりする。芸術には、既存の可能性や常識にとらわれる必要もない。むしろ、そうしたものから離れた表現が芸術性を高めたり、素晴らしい作品を生み出したりすることもある。**ガチガチの既成概念に囚われた発想からは、決してアートは生まれない**のだ。

だからこそ、オードリーはこう断言している。

「仮に、サイエンスとテクノロジーだけしか学んでいなければ、学んだ内容は誰もが同じになってしまいます。つまり、標準的な答えを暗記しているだけであって、直線的な思考だけで問題解決しようとすることは、ほとんど不可能でしょう。だから『アート思考』が重要なのです」

22 文化や業界、年齢などの違いは、私たちがお互いに協力するうえで、実はハードルにはなりません

オードリーが中学校を中退したことは、前に述べた通りだ。**「中学校ではもう学びたいものがないから」**というのが理由のひとつだった。オードリーは、当時の教育制度やカリキュラムに問題があったと語る。その証拠に、もし現在、中学生だったとしたらやはりまた退学するか、との問いに**「いまなら大丈夫」**と明言している。

台湾では、2019年から新しい教育制度が施行された。そもそも2000年代に、小学校と中学校の義務教育期間を「一貫教育」とみなす制度が実施されていた。そのうえで、

高校は義務教育ではないながら、小中高の12年間を「国民基本教育」の期間と定めたのだ。同時に、カリキュラムについても大幅な変更が加えられた。オードリーがカリキュラムを策定する政府の委員に任命されたのは２０１４年のこと。つまり、現在施行されているカリキュラムは、まさにオードリーが作成にかかわったものなのである。

この変革を規定した「十二年国民基本教育課程綱要総綱」が、なぜ策定されたのか。それは、グローバル化がますます加速するとともに、社会のあらゆる場面でデジタル技術が発展したこれからの時代を生き抜く力を育むためには、従来行われていた知識詰め込み型の教育では対応できないからだ。そう台湾政府が明言している。

そして、この教育改革によって、子どもたちを「終身学習者」に育て上げることを目標に掲げている。「終身学習者」とは「生涯学習者」という意味だ。

生涯学習者を育むための中心事項として、具体的に次の3つを挙げている。

すなわち、自ら学ぶ内容を決める「自発」、多様な交流を進める「社会参加」、意見の異なる相手とも共通の価値観を見つけ出す「相互理解」という考え方だ。

この「自発」「社会参加」「相互理解」について、オードリーは次のように語る。

『自発』とは、政府や学校が決めたカリキュラムに黙々と従ったり、教師や親に命令されたり指示されたりするのではなく、積極的にこの世界を理解し、社会のなにが問題なのか、私たちはなにができるかということを考えることです」

「また、『社会参加』することで、相手には相手の価値があり、自分には自分の価値があることを見つけだします。自分とは異なる考えの人と交流しながら共同で作業することで、自分の価値というものがより明確になってくるわけです」

そして、オードリーは最後の「相互理解」について語気を強めた。

「問題解決するまでの過程で他人とシェアすることをいとわず、同時に他人からシェアされたものに耳を傾けること、それが『相互理解』です。文化や業界、年齢などの違いは、私たちがお互いに協力するうえで、実はハードルにはなりません。多種多様な人たちとシェアし合い、相互理解し合うことをいとわなければいいだけなのです。

ひとくちに『相互理解』といっても、結果として自分の価値観を他人に強制的に押しつけるようなやり方や、自分の価値観を捨てて相手に迎合するようなこともあるでしょう。でも、そのような相互理解のやり方は、ずっと続けられるものではありません。

相互理解するということのポイントは、お互いの立場、あるいは人生の経験がまったく異なる私たちが、いかにして共同の価値を見つけ出して共有できるかというところにあります。さらに重要なのは、相互理解に加えて、それが『持続可能』かどうかということなのです」

問題に直面したときに逃げることなく「自発」的に解決しようと努力する。その問題解決のプロセスにおいて「社会参加」し、自分と異なる考えや立場の人と交流することで、どうやって皆が受け入れることのできる共同の価値を見つけ出せるのか。このプロセスが

「相互理解」ということになる。

ここで**大切なのは、単に「みんなと違ってもいい」という尊重だけではなく、違う意見や考え方のなかにも共通点、つまり「共通の価値観」を探すということ**。そのうえで、なぜ違う意見を持つのかについて話し合うことを通じて、他者の意見や考えをも自分のなかに取り込んで咀嚼したうえで自分の意見を持つことだ。

この考え方は、本書でも再三言及している台湾におけるネット上のプラットフォームの考え方にも通じる。自分の意見のなかに多角的な考え方を取り入れることが、より豊かな発想を生み出すことにつながるのである。

新しい「教育制度改革」によって台湾の学校教育が大きく変わった点は、カリキュラムの柔軟性である。各学校は特色ある独自のカリキュラムを制定できるようになったので外国語教育に力を入れてもいいし、理数系を特色にしてもいい。スポーツ強豪校に育てるために、体育系科目を充実させることも可能だ。オードリーいわく**「各校が創造力を発揮できるようになった」**というわけだ。

カリキュラムの柔軟性は学生にも恩恵がある。要は、高校の時点で大学と同じように、必修科目さえ学べば、残りの科目は自分の興味のあるものを選んで学ぶことが可能になったのだ。自分で時間割を決め、カリキュラムを選ぶことになるが、どのような基準で科目を選ぶのか。そのときに必要なのが、これからの人生設計だ。

将来、自分は大学に進学したらなにを学びたいのか。あるいは自分はどういう仕事に就きたいのか。そして最終的に、自分がどうすれば社会に貢献できるのか。そういったことを基準に学びたい科目を選ぶことになる。

まさにドイツでオードリーが目にしたように、**子どもたちは、かなり早い時期から将来の設計像を考えなければならないという仕組みが、台湾でも実装され始めた**ということなのである。

奇しくも、日本でも台湾でも、ほぼ同時に成人年齢が20歳から18歳に引き下げられることになった。台湾では2020年末に立法院で可決し、2023年1月1日から施行される。また、日本でも2018年に民法が改正され、こちらは2022年4月1日から施行されるので、台湾より1年早く18歳成年が実現することになる。

成人年齢が18歳に引き下げられたことによって、日本でも台湾でも高校を卒業するかしないかの年齢で「自己決定」の権利を手にすることになる。台湾の場合、新しいカリキュラム施行と、生涯教育の整備によって、高校を卒業したら必ずしもすぐに大学へ進学しなくとも、いつでもキャンパスに戻れる環境が整いつつある。

これについても、明治時代以来ほとんど変わっていない日本の教育制度改革の参考にすべきではないか。**18歳で大学進学、卒業したら就職という日本独自の"決められたレール"は、ますます機能しなくなりつつある。**

名実ともに「18歳からは大人」とするならば、まさに**オードリーの言う「自発」「社会参加」、そして"持続可能"な「相互理解」を実践できるような教育制度を取り入れることが急務**ではないだろうか。

Audrey's words

23 英語を学ぶことが一番重要だ、などという通り一遍の考え方を皆が皆、する必要などないのです

教育の分野で、もうひとつ重要な課題となっているのが外国語教育だ。日本でも台湾でも、外国語教育というとまずは英語だろう。だが、台湾の場合はそれだけにとどまらない。社会の多様化に対応して、言語教育においても複数の選択肢がある。英語を主眼にしたければ、必修科目である英語の単位に加え、第二外国語としての単位もすべて英語にして徹底的に英語能力を磨くようなコースを選ぶこともできる。あるいは、英語だけでなく「次の言語」も学びたければ英語は必修科目だけにして、第二外国語教育で他の言語を学べるようにすればよい。

英語に関して台湾政府が進める政策も斬新だ。2020年6月、蔡英文総統は、多言語教育の推進を加速させるため「2030年バイリンガル国家計画」を始動し、英語の公用語化政策を進めると表明した。2030年を目標に、台湾を中国語と英語のバイリンガル国家にするという政策だ。

この指針は、これからの国際社会において、台湾の若者は、台湾がどのような国で、どのような価値を持ち、国際社会にどんな貢献ができるかを説明できなければならないという考えに立っているという。実際のところどうなのか。オードリーの意見を聞いてみよう。

「台湾政府が進めようとする『バイリンガル』政策とは、実は必ずしも中国語と英語だけを公用語にしようというわけではありません。多様な民族が住む台湾で使われている言語すべてが公用語なのです」

台湾では2018年に国家言語発展法が成立した。それまでの台湾では、戦後長らく中国語が「公用語」として押しつけられ、過去にはそれ以外の言語を使うと罰せられる時代さえあった。ところが、台湾はオードリーがいうように、複数のエスニックグループが同居する多民族社会だ。台湾語や客家(はっか)語に加え、政府が認定しているだけで16の先住民族がいるので、台湾で使われている言語はかなりの数に上る。オードリーは「自分の母語＋英語」を「バイリンガル」としているのだ。

バイリンガル教育が進むとどうなるのか。オードリーが掲げるメリットはふたつある。

ひとつは、**英語を共通言語として、たくさんの国や人々、たくさんのコミュニティとつながることができる**ということ。そして、台湾にやってくる人たちに、台湾がオープンな場所だと感じてもらえることだという。外国人が台湾にやってきたとき、街なかの看板に英語があり、英語で会話をすることができたら、そこを入口にして台湾社会に入っていくことができる。**外国人に台湾を知ってもらうためのひとつの〝契機〟が英語**というわけだ。

ただ、この政策に批判もある。基本的に台湾の人たちは生活するうえで英語を話す必要や理由がない。旅行に行くときや外国人と会うときだけ、という状況は日本とほとんど一緒だ。シンガポールや、かつての香港のように日常的に英語が飛び交う環境など、そもそも台湾にはない。

そのため、英語は学校で学ぶ言語であり、将来留学するときに必要といった、勉強のための勉強になっている子どもが非常に多いという。

ここでの**最大の問題は、子どもたち自身が「英語を学ぶ動機」を見つけることができていないということ**だ。親は将来役立つからと躍起になって英語学習に駆り立てるが、子どもは「なぜ」英語を学ばなければならないかを理解していない。結局は勉強のための勉強になり、モチベーションも上がらないわけだ。

やはり外国語学習に関しても文字通り、答えはひとつではない。大事なのは、なんのために母語以外の言葉を学ぶのかという目的だ。オードリーは、もちろん英語学習の重要性は認識している。そのうえで、次のような彼女の言葉を改めて考えることが、大事なのではないだろうか。

「決して英語を学ぶことが一番重要だ、などという通り一遍の考え方を皆が皆、する必要などないのです」

24

Audrey's words

もし自分だけでいい方法が見つけられなかったら、ほかの人の力を頼ってもいい

新型コロナウイルスの世界的大流行は、まさに社会の大きな変化だが、日本はそれにうまく対応できただろうか。デジタル化する世界において、日本政府のデジタル革命はうまく進んでいるだろうか。

まさに**未曾有の事態が次々と起こり、誰もが経験したことのないDX（デジタルトランスフォーメーション）が要求される現代は、正解など存在しない時代**だといえる。2021年、東日本大震災から10年を迎えたが、地震や津波に襲われたとき、避難する方法に関して歴史的な正解もあれば、そうでないものもあった。非常に残念ながら、マニュアルに定

められた通りの避難をしたことで、命を落としてしまった方々もたくさんいる。もちろん、いま振り返って「こうするべきだった」と批評するのは簡単だ。私たちは答え合わせができるからだ。

では、まさに自然災害のように、正解が存在しないような問題に出くわしたら、どうすればいいのだろうか。オードリーは次のように考えている。

「常に問い続けることです。正解が存在しないのであれば、正しい方法を簡単に見つけ出すことはできません。だから、自分が最善だと思うやり方を探し続けるだけです。もし自分だけでいい方法が見つけられなかったら、ほかの人の力を頼ってもいいのです。自分だけで正解を見つけなければならないということもまた、正解ではないのですから」

台湾がデジタル革命を進めていたことによって、新型コロナウイルス対策を効率よく行い、感染拡大を防いだことは第1章でも紹介した。その立役者として、デジタル担当政務委員のオードリーがクローズアップされたわけだが、オードリーのような人物が生まれた背景には、台湾の教育改革が深くかかわっているように思えてならない。というのは、オードリーの幼少期から現在までのプロフィールは、台湾の教育、そして社会が大きく変わる時代と重なっているからだ。

オードリーが幼かった時代は、1987年の戒厳令解除前後で、台湾社会もまだ民主化されてはいない。そのため、教育は硬直的、かつ画一的なものだった。そして、オードリーのような、祖母いわく**「生後8カ月でしゃべり始め、1歳半で歌詞をすべて覚えてしまい、3歳になると百科事典に夢中になる」という〝ギフテッド〟の子どもも、そうでない子どもも一律に扱われ、同じ内容の授業を受けさせられていた**のである。

台湾の民主化は1980年代後半から始まっているので、1981年生まれのオードリーからすれば、自分の成長と台湾の民主主義の成長は同じ歩みのようなものだった。

もし、台湾社会そのものの民主化がもう少し遅く、硬直的な教育がもう少し長く続いていたら、オードリーという人物の才能は潰されてしまっていたかもしれない。よくも悪くも「変わっている子」をケアし、手厚く育てていこうという発想は、画一的な教育制度のなかでは起こりえないからだ。

さらに、インターネットが普及し始めたのも幸いだった。オードリーが中学生になった頃には、台湾の民主化は進み、言論の自由も保障されていた。インターネットを通じて世界の情報を得ることも、自由に自分の意見を発信することも可能になったわけだ。

もちろんオードリーにしてみれば、戒厳令時代の台湾社会の息苦しさは、幼すぎて経験することはなかっただろう。しかし、自分の思ったことや言いたいことを、なにも恐れることなく自由に発言できることの尊さや大切さは、ジャーナリストであった両親から教えられ続けてきた。

だからこそ、異なる価値観を認め合い、自由に意見を戦わせられることの大切さ、貴重さ、重要性を同世代の人たちより骨身に沁(し)みて理解しているのだろう。

民主化が進んだ台湾は、いくつものエスニックグループの共存を目指すダイバーシティを実践し、柔軟性ある社会に生まれ変わってきた。**そのプロセスを目撃してきたオードリーだからこそ、健康保険カードの情報の一部を、民間に開示してオープンソースにするという、日本ではちょっと発想できない（思いついたとしても政府が同意するとは思えない）こ**

とも実行に移せたのだ。逆にいえば、それだけ台湾の行政が柔軟性を持つようになったということでもある。

また、子どもたちの教育の現場では、日本に先んじて2014年から実験的にではあるがプログラミング教育がスタートしている。プログラミングはオードリーが得意とする分野でもある。

オードリーのプログラミングに対する考え方は、ごくシンプルなひとことで表される。

それは「Radical Trust」（ラディカル・トラスト＝徹底的に、他者を信頼すること）だ。

「台湾を代表するプログラマー」とも呼ばれるオードリーだが、自分でプログラムを書いて公開する場合、必ず**「このプログラムは『暫定版』です。問題点の指摘をお願いします」**と書き添えるようにしている。

こうすることで、ほかのプログラマーが発言したり、自発的に修正してくれることへのハードルが下がるわけだ。その結果、誰もがプログラムの開発や改良に参加することができ、より高度なプログラムをつくり上げることができる。さらには、マスクマップアプリのように、民間プログラマーの力を結集すれば開発スピードも上がり、わずか数日で完成させるという離れ業まで実現できるわけだ。

そのために重要なのが「Radical Trust」という考え方なのである。自分だけで素晴らしいプログラムを書き上げれば、その功績は自分だけで独占できることになるが、本当に大切なのは自分の名声ではない。

クラウドで作業すること（ネット上にプログラムを置き、誰もが改良できる状態にすること）によって、より高度なプログラムを参加者全員で完成させることが、社会的貢献へのモチベーションを生み出し、結果、プログラム開発そのものが、より意義のあることになると信じているのだ。

この考え方は**「プログラミング思考」**とも言い換えられる。なにか問題に直面したときに、その問題をひとりで解決するのではなく、ほかの（見ず知らずの）人と一緒に、さまざまなプログラムを用いて、協力しあって問題を解決するという、一種の〝解体〟と〝再構築〟の方法ともいえる。

オードリーは政務委員に就任する前から、プログラミング業界では有名人として知られていた。ＳＮＳでなにかコメントをすれば「降臨」と騒がれ、街で本人を見かけたと誰かがネットに書き込めば、「今日は素晴らしい日」「すぐ宝くじを買いに行け」などの返信が届くという。

そんな「プログラミングの神」のようなオードリーがつくったプログラムに、もし問題があった場合、それを指摘したり改良したりしようとすることに対して、誰しも二の足を踏むだろう。

無論、そうした悪い"忖度(そんたく)"がプログラムの完成度を落とすことになると危惧するからこそ、オードリーは**「このプログラムは『暫定版』です」**と故意に書いて公開するのだ。

あくまでも他者を信頼し、一緒につくり上げていくという姿勢は、台湾社会が持つ多様性と柔軟さを、オードリーがうまく活用していこうという考え方の表れだ。

オードリーの発想の根底には、一人ひとりの力にはおのずと価値観に縛られた限界が存在するという考えがある。オードリー自身、こう語っている。

「一人ひとりの個人が創造力に欠けているとは思いません。しかし、成長

するにしたがって、家族に縛られたり、あるいは、いつまでも古い習慣を引きずったりして、いつの間にか創造力が失われてしまうのです」

このように、人間は生きていくうえで、どうしてもいつの間にか創造力を失いがちのようだ。そうした欠落した部分を、みんなで一緒に解決していこうという発想を出発点にしたのが「Radical Trust」という考え方なのである。

Audrey's words

25 街全体をキャンパスにして、ネット教育と地域の資源を組み合わせていくような学校が普及していくかもしれません

ミネルバ大学という大学がある。2014年に創立されたというから、まだ開校10年もたっていない。それなのに、入学者のなかにはハーバードやケンブリッジに合格していたのにもかかわらず、ミネルバ大学を選んだという学生もいるという。

この大学はどこにあるのか。**実はミネルバ大学に特定のキャンパスはない。学生は4年間で世界の7都市にある寮を移り住みながら、授業をすべてオンラインで受ける**というシステムなのだ。本部は米サンフランシスコに置かれていて、移動する7都市は、サンフランシスコ、ソウル、ハイデラバード（インド）、ベルリン、ブエノスアイレス（アルゼンチン）、

ロンドン、台北である。

学生たちは、それぞれの都市にある寮で世界各国から来た同級生たちと交流しながら、そこにある研究施設や図書館などを利用して勉学に励む。さらに、現地の企業や行政機関、NGOなどのインターンシップや、各種プロジェクトに参加し、異文化交流や、社会問題解決の実践を積み重ねていくのだ。

新型コロナウイルスは「学び」の風景も大きく変えた。日本の大学は休校あるいは新学期開始が延期となり、やっと始まったと思ったらネットを通じたリモート授業で、一度もキャンパスに足を踏み入れたこともなく、同級生に会ったこともないまま1年が過ぎたという新入生もたくさん発生してしまった。

コロナ禍に翻弄される学生たちには同情するしかない。ただ、これまで「ネット教育」というと、通信教育の延長線上にあるようなイメージがあり、必ずしも正当な評価を得てこなかったのではないだろうか。その点、このコロナ禍は不幸な出来事ではあるものの、ネット教育を見直すという契機になった。

実はオードリーも、先述のミネルバ大学を評価している。ネット教育の未来や可能性について話していたとき、オードリーが例として挙げたのがミネルバ大学だったのだ。

オードリーは言う。

「ネット上での教育というものに、これから慣れてくる人も増えてくるでしょう。もし純粋にオンラインのみの学校にはならなくとも、たとえばミネルバ大学のように、ある都市をまるごと、街全体をキャンパスにして、ネット教育と地域の資源を組み合わせていくような学校が普及していくかもしれません」

ネット教育の利点は、いつでもどこでも学べることだ。反面、実際に教室などで行われなければならない実習や実験などまでカバーするのはまだ難しい。どのようにリモートによるネット教育と、リアルな授業を組み合わせていけばよいか、オードリーはどう考えているのだろうか。

「知識を学ぶような授業は、オンラインでいいと思います。オンラインで

あれば、自分のペースで学習ができ、反復学習も可能であり、さらには学生が創作した作品をネット上で容易に発信できるからです。

ただ、実技や操作などをともなう学習にオンラインは適しません。たとえば、フィールドワークです。その場合、オンラインやリモートでやろうとしたらかなり難しいですよね。というのは、VR（仮想現実）などの技術を使って、あたかもその場にいるような状況をつくり出すには、まだまだ大きなコストがかかりますから」


台湾で日本統治時代に教育を受けた「日本語族」のお年寄りにインタビューをし、「生活史」（ライフストーリー）の研究を行うとしよう。オンラインの学習では、台湾の歴史や社会についての知識を蓄え、聞き取り調査や質問項目の設定といった社会科学の方法論を学ぶことに非常に役立つはずだ。

オードリーが言うように、理解しきれなかったら何度でも聞くことができるし、いつでもどこでも学ぶことができる。こうした点は、リアルにはない利点だ。

しかし、実際に台湾を訪れてお年寄りたちと向き合い、表情やちょっとしたしぐさまで観察しながら聞き取り調査するという研究をネット上で十分に行うのは、まだまだ無理があるだろう。やはり実際の対面に勝るものはない部分も、間違いなく存在する。

オードリーの指摘通り、知識に関しては、討論したり、理論を学んだりという点ではむしろネットを通じた反復学習のほうが、リアルの授業よりも効率的に学べるだろう。

そうした意味で、前述のように街全体をキャンパスとするミネルバ大学は、オンラインでの授業と、実地での交流、学び、インターンシップなどを通じた「社会参加」をバランスよく組み合わせている。これが、今後のネット教育が目指す理想の形になるのではないだろうか。

26 プログラミング思考を身につけた人が増えれば、気候変動などのより大規模な共通の問題を、多くの人で解決できるようになります

近年、**急速に注目されるようになった「STEAM＋D教育」**。

これは、科学（Science）、技術（Technology）、工学（Engineering）、アート（Art）、数学（Mathematics）、それに加えてデザイン（Design）の6つの学問領域の頭文字から名づけられたもので、理数系教育と創造性教育を加えた教育理念を指す。

実は当初は、A（芸術）とD（デザイン）を除いた「STEM教育」だった。だが、サイエンスやテクノロジーをいかにイノベートしていくかを教育することは、つまりは創造性を教えることにつながることになる。そこから「創造」、すなわち「芸術」ということで

A（芸術）が追加されたのだ。

このSTEAM＋D教育が台湾で注目され始めたのは、日本よりも早かった。前にも触れたように、2014年に試験的にプログラミングが小学校の授業に取り入れられ、のちに必修化されたからである。日本でプログラミング教育が小学校の科目として導入されたのは、2020年からだ。

このプログラミングの際に必要とされるのが、前にも触れた「プログラミング思考」である。**プログラミング思考とは、まず問題を小さなステップに分解し、それぞれを既存のプログラムや機器を用いて解決できるようにする方法**だ。

さらには、問題のなかにある共通する部分を見つける方法でもある。つまり、ある場所で問題を解決した方法は、別の場所でも使用することができるわけだ。

プログラミング思考のプロセスは、問題の構造をつくり直すことにある。その際に、バラバラにした問題をひとりで解決していくのもありだが、ほかの人と一緒にさまざまなプログラムを用いて、協力し合いながら問題解決を目指していくことにより、一種の解体と再構築の思考を学ぶこともできるといえよう。

オードリーは、プログラミング思考について次のように語る。

「このプログラミング思考を身につけた人が増えれば、気候変動などのより大規模な共通の問題を、多くの人で解決できるようになります。対処しなければならない問題が大きすぎるとか、手に負えないなどというように感じないからです。

これまでは、地球規模的な問題に直面すると、個人はなんと小さな存在かと感じ、こんな大問題に対処するのは不可能だと諦めてしまうこともありました。ところが、複雑、かつ大規模なデータも把握することができるプログラミング思考をものにできれば、そうした問題に取り組もうというモチベーションも湧いてきますし、ひいては、社会に対する大きな貢献のひとつにもなると考えているのです」

台湾でのＳＴＥＡＭ＋Ｄ教育について、国立清華大学が取り組んでいる「清華ＳＴＥＡＭ学校」というものがある。清華大学は台湾北部の新竹(しんちく)にあり、理数系では台湾大学と並ぶ名門校だ。清華大学では2018年から新竹県と協力して「清華STEAM学校」を開講した。清華大学が、県内にある小中学校などと提携し、STEAM教育機関としての講習や認定を行うというものだ。

具体的には、「清華STEAM学校」が定期的に開催する教師育成研修に幼稚園から中学校までの教師が参加する。レベルは1から最高の4まで分かれており、たとえばレベル1から2に上がるためには36時間のSTEAM教育に関する講習を受けなければならない。レベル4のコースを修了するためには、合計84時間の講習が必須となっている。

講習の内容は「STEAM教育の専門能力開発」や「STEAMカリキュラムの実践」「STEAM教育の発展モデル」などに分かれており、講習を修了すると「清華STEAM学校認定教師」の資格を得られるという。

一方で、「清華STEAM学校」と提携している教育機関は、少なくとも2名の「認定教師」を置かなければならない。この教師が、毎月定められた時間数のSTEAMカリキュラムを年間通じて実施することで、その学校は「STEAM教育予備学校」の認定を得ることができる。

さらに実施授業の時間数や認定教師数などの実績を重ねることで、銅メダル校から銀メダル校、金メダル校へとレベルアップしていく仕組みとなっており、最終ゴールは「STEAM コーチ校」というモデルケースの認定を受けることだ。2020年9月の時点ですでに10校が「STEAM教育予備学校」の認定を受けており、理数系科目に芸術科目を加えたSTEAM科目が実践されているという。

ここに挙げた、台湾において率先してSTEAM教育を実践している新竹県は、このやり方で優秀な子どもを育て、その子どもたちが将来、地元の清華大学や、同じく理数系の名門である国立交通大学などへ進学してくれることを期待している。

新竹にはサイエンスパークがあり、多くの世界的に著名な半導体メーカーやIT企業が研究所や工場を置いている。世界最大の半導体製造ファウンドリ（受託生産会社）である「TSMC」（台湾積体電路製造）の本拠地も、この新竹サイエンスパークだ。

幼稚園や小学校からSTEAM教育で子どもを育て、名門大学を卒業したら、台湾を代表する企業を通じて台湾社会や世界に貢献する。新竹県の取り組みは、そんな長期的な視野に立っている。

愛用のMacBookに向かうオードリー。

台湾も日本と同じように、資源に乏しい島国だ。だから世界と互角に戦うためには、優秀な人材を育て技術を磨くしかなかった。**人材も技術も、すなわち「頭脳」である。台湾も日本も世界も、「頭脳」を育成するという点では岐路に立っている**。

オードリーの言う通り、気候変動など世界的な問題は、解決策ができるのを待ってくれはしない。こうした〝大きすぎる問題〟からビジネスのイノベーションまで、これまでの型にはまらない「プログラミング思考」がますます必要とされるのは、言うまでもないことなのである。

終章

オードリー流思考術＋台湾的柔軟性＝日本の未来サバイバル戦略

デジタルの世界で花開いた台湾の〝柔軟性〟

最後に、私がオードリーとの20時間以上にわたる対話から得た、日本の今後について考えなくてはならないキーポイントを紹介していこう。

ここまで見てきたように、トランスジェンダーで中卒のＩＴプログラマーであるオードリーを大臣に任命し、しかも国民の命に直結するコロナ危機対策の中心に据えるという〝柔軟性〟が、台湾の大きな特徴だといえるだろう。

ただ、台湾が柔軟性をいかんなく発揮し、少数派や弱者の意見を聞いて政治や行政に反映する、という歯車がポジティブにまわり始めたのは、実はそう古いことではない。具体的なきっかけは、やはり２０１４年に起こった「太陽花（ヒマワリ）学生運動」だったといえよう。

そもそもオードリーが政治の世界へ入ったきっかけをつくったのは、馬英九（ばえいきゅう）政権で政務委員を務めていた蔡玉玲（さいぎょくれい）との出会いだった。

蔡玉玲は弁護士だが、ＩＢＭの中華圏における法務責任者を務めていたこともあり、デジタルに造詣が深かった。彼女が２０１３年11月に政務委員として入閣したのも、当時の法律と社会の変化に齟齬（そご）をきたすことが多くなり始めたからだ。ネットの世界が発展するにつれ、デジタル社会や仮想世界（Virtual World）といった新しい領域が加速度的に広がっていった。その結果、既存の法律では処理できない事件も増えていったのである。

蔡玉玲が入閣してまもなく、２０１４年3月に「太陽花（ヒマワリ）学生運動」が起きると、政治は混乱し、馬英九政権に対する国民の批判も日に日に大きくなっていった。そのあおりを食うかたちで、サービス貿易協定とは関係のない政策や法案も軒並みストップしてしまったのである。

そこで、ネット関連の法案整備を考えていた彼女が注目したのが、Ｐ93で紹介した「g０v」だった。蔡玉玲が言うには、「g０v」には素晴らしいシビックハッカー（市民プログラマー）たちがたくさん集まっている。しかも**ハッカーたちは、「鍵盤救国」（キーボードで国を救う）を合言葉に、社会や国に貢献したいという強い気持ちを持っていた。**

蔡玉玲は、２０１４年末に行われた「g０v」主催のハッカソン（アイデアや成果を競い合う開発イベント）に、現職大臣として初めて参加した。ここで彼女は、オンライン上に「vTaiwan」というプラットフォームを立ち上げ、誰もが――未成年であっても、外国人でも、国外にいても――これから制定する仮想世界関連法案について意見を表明できる環境をつくることを提案したのだ。

ちなみに、蔡玉玲の前に、中国語から台湾原住民の言葉まで調べられるオンライン辞典「萌典」（MoeDict）についてのプレゼンテーションを行ったのが、オードリーだったという。オードリーも設立当初から「g０v」に参加しており、のちに「vTaiwan」プロジェクトの顧問として蔡玉玲と一緒に働くことになるのだが、無論、当時はそんなことなど知る由もなかった。

このハッカソンで提案されたアイデアは、シビックハッカーたちが「公益性がある」と判断すれば、即座にボランティアで実行に取りかかってくれることになっていた。蔡玉玲の「vTaiwan」構想は見事採用され、のちに政府とシビックハッカーが共同で推進するプロジェクトとして動き始める。

同時に、オードリーの才能に注目した蔡玉玲は、オードリーを行政院のリバースメンターに任命しようとした。リバースメンターとは、18歳から35歳の若者が自薦他薦で応募できる青年顧問団のようなもので、若者世代の政府への要望や提言を反映させるために設けられた制度だ。

ただ、このリバースメンターのルールが、オードリーは気に入らなかった。メンバーは、会議で話し合われたことなどについて、自分の意見を外部に公表してはいけないことになっていたのだ。なにかコメントしたい場合には、承認を得なければならないという。

それではあまりにも制約が大きすぎると感じたオードリーは蔡玉玲の申し出を辞退し、代わりに彼女が進めるプロジェクトの顧問に就任した。**オードリーは、すでにこのときからシビックハッカーたちと政府のあいだの橋渡し役となっていた**のである。

ハッカーたちが大事にする「公開・透明・協力」

オードリーや蔡玉玲とともに仕事をしたシビックハッカーに、王景弘（おうけいこう）という人物がいる。

「TonyQ」という名前で呼ばれる彼には、ほとんど知られていない功績がある。

２０１４年８月１日の深夜、台湾南部の都市、高雄で大規模なガス爆発事故が起きた。高雄は南部の主要港湾都市で、郊外には石油化学コンビナートがあり、市内の地下には多数のパイプラインが通っている。そのうちの可燃性物質であるプロピレンガスが漏れ、大規模な爆発を起こしたのだ。

この事故の死傷者は３００人近くに上り、爆発現場一帯に住んでいた人たちは、家が倒壊したり避難を余儀なくされたりして、一晩にして住む場所をなくしてしまった。そのとき、迅速に動き出したのが、「ｇ０ｖ」のメンバーでもあるＴｏｎｙＱだ。

彼は**真夜中に爆発が起きてから2時間後には、「g0v」のサイトが持つリアルタイムテキストエディタ「Hackfoldr」（ハックフォルダ）を使って「高雄爆発事故関連情報」サイトを立ち上げた**。

住民が、ネットやテレビのニュース、ＳＮＳや政府機関のサイトで流される情報の海におぼれてしまい、混乱するのを防ぐため、このサイトを見れば常に最新の情報が網羅され、ワンストップで必要な情報を得られるようにしたのだ。

「Ｈａｃｋｆｏｌｄｒ」は、もともと「ｇ０ｖ」を立ち上げた高嘉良（こうかりょう）が開発したオープンソースで、「太陽花（ヒマワリ）学生運動」の際、立法院の抗議活動の様子をライブやテキストで放送したり、必要な物資のリストを作成するのに使われたりしたことで、その効果が実証されていた。

高雄のガス爆発事故に関する情報は、シビックハッカーたちによってこのサイトに一元化され、危険地域がどのエリアなのか、学校はいつまで休校になるのか、交通はどうなっているのか、不足している物資はなにかといった情報が可視化されたのである。当時の陳菊市長もフェイスブックで、「被害を拡大させないためにこのサイトを見て！　まず理解してから動きましょう」と市民に呼びかけたのだ。

前に説明したように、**オードリーは中学校中退。このＴｏｎｙＱも、プログラミングやデジタルの世界で自分のやりたいことを見つけたため、大学には進学しなかった。「ｇ０ｖ」を立ち上げた高嘉良も国立台湾大学に進学したものの、興味のない必修科目がイヤで中退している**。

台湾社会の柔軟なところは、学歴よりも能力があれば人材登用し、活用することだ。オードリーを政治の世界に引き込んだ蔡玉玲も本業は弁護士で、議員ではない。

蔡玉玲が言う。

「私がオードリーをはじめ、ハッカーたちから感銘を受けた言葉があります。それはハッ

カーたちがもっとも尊重していることは『公開・透明・協力』だということ。何事も公開することで信頼が生まれる。透明化することで議論が生まれる。協力し合うことで、ひとりではできないことが可能になる、というわけです」

〝弱者〟にも活躍の場を提供するのが政治の仕事

蔡玉玲とオードリーたちシビックハッカーは、育ってきたバックグラウンドや経歴はまったく異なるが、「公開・透明・協力」を共通の価値観にして一緒に仕事をしてきた。これらの価値観は、そのまま新型コロナウイルスの封じ込めに成功した台湾社会そのものだといえよう。

政府はあらゆる情報を公開し、正確に説明することで国民の不安を抑えた。そうやって醸成された信頼を基盤に、政府と国民が協力し合い、台湾は新型コロナウイルスの感染拡大を防いだのである。

2016年、蔡英文率いる民進党は総統選挙に勝利し、国民党から政権を奪取した。まもなく新政権発足という時期になって、新しい行政院長（首相に相当）に決まっている林(りん)

全(ぜん)や国家発展委員会の主任委員(閣僚)に決まっている陳添枝(ちんてんし)が蔡玉玲のところにやってきて言った。

「前政権が進めてきたデジタルやネットに関する政策は、新政権になっても引き継いでいきたい。この分野について誰か適材を推薦してくれないか」

そこで蔡玉玲が推薦したのがオードリーだったのである。

前述のように、仮想社会における法整備が政務委員の蔡玉玲らの主導で進められていた。そして「g0v」の協力で進められたネット上のプラットフォーム「vTaiwan」のプロジェクトをめぐり、蔡玉玲はオードリーらと連日のようにミーティングを開いたのである。

裁判官を経験し、現職の弁護士でもある蔡玉玲の頭のなかには**「仮想世界のユーザーのためにつくる法律なのだから、彼らの考えを知らなければならない」**という考えがあった。それもまた「g0v」のハッカソンを通じてオンラインプラットフォーム「vTaiwan」の構想を進めようとしたもうひとつの理由だ。

蔡玉玲は、こう語る。

「台湾のシビックハッカーたちは、普段まったく姿を現しません。でも彼らは社会の片隅で、間違いなく生きている。なかには、学校が合わなくてオードリーのようにドロップアウトしたり、自分のやりたいことのためにわざと進学しなかった人もたくさんいます。**彼らは学歴社会というモノサシで測れば〝弱者〟かもしれませんが、キーボードを使って社会や他の人たちのために役立ちたいという気持ちはきちんと持っている。そんな彼らに活躍の場を提供するのも、政治の仕事なのです**」

実際、彼女が「こんなふうにできないか」と提案すると、オードリーたちハッカーは即座に「それはいい、すぐやってみよう」と作業を進め、あっという間にひな形ができる。するとほかのハッカーが「いや、こっちのやり方のほうがいい」と違うアイデアを出し、「じゃあ、とりあえずやり比べてみよう」と動き出す。そんな試行錯誤の連続だったという。

そもそも、**政府が推進する法案について、ネット上のプラットフォームに国民も参加してもらい、政府とともに議論していこうという試みは、世界のどの国も行ったことのないチャレンジ**だった。それゆえ、毎回みんなでアイデアを出し合い、いちいちトライしていくしか方法がなかったのだ。

その点、日本はラッキーだ。自国のすぐ隣に成功例がある。デジタル庁の発足とともに、デジタル革命の推進が期待されている。異国の文化やシステムを取り入れ、自分たちが使いやすいように改良するのは、日本が得意とする〝お家芸〟だ。台湾の例が参考になるのは、間違いない。あとはそれを誰が、どう生かすかだ。

「人間はブタではないし、肉のかたまりでもない」

オードリーと並んで、台湾の新型コロナウイルス抑え込み成功の立役者として知られる人物がいる。中央流行疫情指揮センター指揮官の陳時中だ。「ピンク色が恥ずかしくて子どもがマスクをしたがらない」という女性の訴えを聞いた陳時中は、記者会見でピンク色のマスクをして登場し「命を守るのに色は関係ないよ」と訴えた。

そして、それに賛同した多くの公的機関や企業が、フェイスブックのロゴをピンク色に変えて陳時中を支持するムーブメントになったことは、項目「18」でも紹介した通りだ。

衛生福利部長（厚労大臣に相当）を兼任する陳時中は、国民の関心が集まるなか、新型コロナウイルスの発生状況や政府のマスク対応など、連日長時間にわたり記者会見を開いた。しかも彼は、「質問が出尽くすまで答える」と時間制限を設けなかった。なまじ質問を途中で打ち切ると、政府のメッセージが完全に国民に届かなかったり、あるいは政府がなにか隠したりしているのではないかという疑念を国民に抱かせかねないからだ。

こうして、**情報発信と説明責任を徹底したことで、国民は政府に対して信頼を寄せていった**のである。

中国に滞在していた台湾人ビジネスパーソンを乗せたチャーター便が台湾に戻り、検疫作業が行われた際には自ら現場に赴き「26時間眠らずに指揮をとった」とも報じられた。不眠不休で働く姿から、いつの間にかメディアから「鉄人部長」(鉄人大臣)と呼ばれるようになった。

日本をはじめ、世界各国で感染者が急増していくなか、台湾はなんとかしのいでいる状況だったが、テレビ局「TVBS」が2020年3月末に行った世論調査では、蔡英文政権の支持率は60%を超え、陳時中の支持率にいたってはなんと91%という驚異的な数字を記録している。

この支持率は2021年を迎えても、ほとんど変わっていない。それどころか、

２０２２年に予定されている台北市長選挙に向けて、早くも陳時中を「次の台北市長に」という声さえ上がっている。

そんな鉄人大臣は、もともと歯科医だった。歯科医師会の会長を経験したことで、政界ともつながりができ、蔡英文の医療政策のマニフェスト作成に参加したこともある。

コロナ禍のさなか、同じく医師出身で台北市長の柯文哲（かぶんてつ）は、自宅での隔離が求められた人に対し、電子タグを装着させるべきだと主張した。自宅隔離を義務づけられているにもかかわらず外出してしまい、警察が捜索に出るという事案が複数発生していたからだ。これに対し、**陳時中は「人間はブタではないし、肉のかたまりでもない」と反論し、「寛容性にあふれた社会でなければ、この問題は解決できない」と人々に訴えた**のである。

新型コロナウイルス対策において、海外から台湾に帰国した場合、14日間の隔離強制が必要だ。台湾の隔離は、日本のような生ぬるいものとは違う。

２０２０年12月の時点での例だが、台湾に入国する場合、飛行機に搭乗する前に入国検疫システムで入国をオンライン申請する。チェックイン時には「ＰＣＲ検査陰性証明書」

を提示し、台湾到着後は検疫担当者や入国審査官の確認を受けなければならない。空港に家族が迎えに来ない場合は、「防疫タクシー」で自宅、あるいは「隔離ホテル」へ向かう。公共交通機関の使用などもってのほかだ。

一方日本では、政府が海外からの入国(帰国)者に対して公共交通機関を利用しないよう「要請」するばかりで、実際は「ザル状態」だと複数メディアで報じられている。入国者が手荷物を宅配便のカウンターに預けて、電車やバスに乗って空港を離れる光景が何度も目撃された。テレビ局のインタビューでは、「自宅が東北地方で遠く、個人で車を手配するのは難しいから電車で帰る」と悪びれもせずに発言した人もいたほどだ。

政府側の対策は「公共交通機関を利用しないよう求めるアナウンスを複数の言語で流し、呼びかけを強化する」のだという。無論、アナウンスが聞こえなかった人は、そのまま電車に乗るというわけだ。

台湾では自宅にせよ隔離ホテルにせよ、いったん隔離期間に入ったらそこから出ることは許されない。たった8秒間だけ廊下に出たのを監視カメラに捉えられ、高額の罰金を課された例を先に紹介したが、ほかにも**深夜にクラブに出かけて100万元**(元=台湾ドル、

日本円で380万円相当）の罰金を科された例もある。

外国人の場合は、外事警察局が毎日携帯電話に連絡してきて、体温や体調についてヒアリングされる。たまたまシャワーに入っていたり、電源を切っていたりして連絡がつかないと、即座に最寄りの派出所に連絡が入り、警察官が所在確認に訪れるという。

この隔離政策は明らかに政府による私権の制限だ。高額な罰金に対し、批判が寄せられたこともあった。しかし、台湾社会では隔離政策そのものに対する批判の声は聞こえてこない。それがウイルスを国内に入れないために有効であり、必要なものだと人々に認知されているからだ。

陳時中が、台湾大学法学部教授だった父の追悼論文集に寄せた文章には、「父は日本統治時代に教育を受け『プロセス』を大事にする人だった」とある。息子の陳時中はかつて「結果がよければいいじゃないか」という「結果論者」だったそうだが、年齢を重ねるにつれ、父が言った「結果に至るまでのプロセスで、いかに努力を重ねたか、どれだけ地道に進めたか」の大切さを理解できるようになったという。

結果だけでなくプロセスも大事にする。こうした陳時中の価値観が見事にハマったのが、台湾の新型コロナウイルス対策なのである。

「同調圧力」と「少数意見」の戦い

私たち日本人は、小さい頃から「他人に迷惑をかけないように」ということを教えられて育つ。たとえば、日米の幼稚園教諭を対象にしたアンケートで、「幼稚園でもっとも教えなければならないものはなにか」という問いに、アメリカでは「自信」が圧倒的1位だった。それに対し、日本側の回答で一番多かったのは「協調性」だったという。そうした団体行動を重んじる教育が、幼稚園から高校まで延々と続く。

そもそも日本の教育制度は、明治時代につくられたものとほとんど変わっていない。当時は、欧米列強といち早く肩を並べるために、全国で画一的な教育を行うことで、一定水準以上の労働者や兵隊を育てなければならなかった。その基本となったのが主要5科目であり、個性よりもみんなと同じ行動ができる子どもを育てるための訓練だったのだ。

こうした教育制度のなかで、**集団の構成員の誰もが同じように行動しなければならないという「同調圧力」が形成される**。他人と同じ行動ができなければ失格の烙印を押されるため、それを恐れて誰もが他人と同じ行動を選ぶわけだ。

災害などの際、逃げ遅れて消防や自衛隊の人に救出された人が、インタビューで「ご迷惑をおかけしました」と話していても、ほとんどの人はなんの違和感も持たないだろう。地震や水害といった、自分の過失ではない天災に襲われたような場合でも、自然と「周りへの迷惑への謝罪」が口から出てくるのが、日本人のメンタリティだからだ。

と同時に、周囲の人たちに気を配り、場の雰囲気を慮（おもんぱか）り、極力迷惑をかけないようにするという協調性は、世界でもまれな精神性の高さと評価されている。実際、東日本大震災の際には、各地でその精神性がいかんなく発揮されたことを覚えている方も多いはずだ。同様に、「きちんとルールを守る」ということも、日本人の素晴らしい性格として挙げられる。真夜中、車などが明らかに走っていない交差点で、信号が変わるのを待っていた人を見て、感動したという台湾の友人がいた。そう言われると素直にうれしいし、誇らしい気分にもなる。

ただし一方で、この**「ルールを守る」が「ルールの厳守」、さらに「ルール厳守の強制」にまで発展してしまう**こともある。このようなあまりにも厳格なルール運用は、いつしか「同調圧力」となって人々の行動を縛るだけでなく、ときとして、そこからはみ出した人への容赦ない糾弾へと変貌してしまうことがあるのも事実だろう。

実は、**台湾にも「同調圧力」という言葉は存在する**。とはいえ、日本のように、ときとして異常なまでに異質性を攻撃する――〝マスク警察〟や〝自粛警察〟のように――ことは、ほとんどない。そんな状況をオードリーは、どう見ているのだろうか。

「いまの社会に生きる人たちというのは、缶詰のなかにいるようなものです。人それぞれ世界を見る角度が異なります。だからこそ、自分の視点を他人と比較して、『みんなと違う』とか『少数意見だ』などと悲観する必要はありません。

個人個人みんな違うんですから。いわば誰もが〝少数意見〟なのです。むしろ自分が少数意見の側だったら『自分はほかの人が思いつかないような見方ができる』と誇りに思ってください。それこそがその人の特色なのですから」

なによりスピードを重視する台湾流「現実主義」

こうした、一人ひとり異なる意見を持つ、表明できるというのが言うまでもなく民主主義の特性だ。だが、前にも説明したように台湾の民主主義は若く、民主化されてから30年ほどしかたっていない。**民主化以前は言論の自由もないどころか、政府を批判すれば裁判もなしに政治犯として銃殺されたり、離島の監獄に何年も収容されたりすることを覚悟しなければならなかった。**

台湾に自由がもたらされたのは、1987年に李登輝が総統に就任してからだ。つまり、**日本がバブル景気に踊り狂っている頃になって、ようやく民主社会が実現**したことになる。だからこそ台湾の人々は、民主主義の価値を知っているし自由の尊さも骨身に沁みている。逆説的な言い方だが、民主社会を守るためには、ときとして公のために権利や自由を制限されたりするのも致し方ない面があると、台湾の人々は理解しているのだ。

また、国民が民主主義を重んじるということは、〝選挙の洗礼〟があるということでもある。本書でも紹介しているように、もし政府が実行した政策がうまくいかなかったり、逆にもっとよい方法が見つかったときには、即座に方向転換する。いつまでもうまくいかない政策を続けていたら、政府が無能だと思われ、次の選挙で確実に「ＮＯ」を突きつけられるからだ。

こういうところは、台湾の人々の気質や社会的な価値観とも共通する。入社した会社が自分に合わないと思ったら、１日でも早く辞めて次を探す。こういう考え方がベースにあるからこそ、政府に対してもスピード感のある切り替えを求めるわけだ。

たとえ〝拙速〟のように見えても、国民の利益のために政府は方針転換していると国民が理解すれば、批判は起きない。もちろん、そのベースには政治の透明化を通じて醸成された政府と国民のあいだの信頼感と、絶え間ない政府の情報発信や説明責任の履行があるのは、何度も説明してきたとおりだ。

スピード感あふれる行動ということに関しては、民間の組織や個人も負けてはいない。東日本大震災の際、私は台北で生活していた。あの日、友人と買い物を終えてＭＲＴ（地下鉄）に乗ると、友人と日本語で話していたから、周囲の人たちからこう言われた。

「さっき日本ですごい地震があったようだが大丈夫か?」

当時すでにスマートフォンはあったが、「東北地方でかなり大きい地震が発生」という初期情報が流れるばかりで詳細はわからない。不安になりながら帰宅し、パソコンで見たのは東北地方を津波が襲う映像だった。

その後、台湾からは有形無形の支援が日本へ送られたことを、覚えている方も多いことだろう。実際、震災翌日に通りがかった台北市内の床屋さんの店先には、「日本の平安を祈ります」というメッセージが書かれたボール紙がかけられていた。思わず店内にいた主人に「謝謝(シエシエ)」と声をかけると、**「日本に親戚や友だちがいるわけではないけど、テレビでニュースを見ていたら、いたたまれなくなって書いた」**と言う。そして、「日本人が見てくれてよかったよ」と、照れくさそうに笑ってくれた。

また、ある日タクシーに乗ったときのこと。

私が日本人と知ると、運転手は「オレも寄付したよ。でも、あんまり金ないからさ、1000元で悪いけど」と打ち明けてくれた。1000元は日本円で3800円ほど。レート換算額で考えれば少ないと感じるかもしれないが、物価水準からみれば1000元は決して安い金額ではない。なによりも、普通の人たちが見ず知らずの日本人のために寄付してくれた善意の表れだ。

よく「台湾から250億円の義援金が送られた」と報じられるが、これは赤十字社を通じた金額にすぎない。ロータリークラブの姉妹クラブや、提携する自治体へ直接寄付を送った例も多数あるから、総額は途方もないものになっただろう。

「慈済基金会」は台湾最大の仏教団体で、日本にも支部がある。そのメンバーが震災からわずか数日後、トラックや自家用車を連ねて被災地を訪問して炊き出しを行った。言うまでもなく、3月の東北地方はまだまだ寒さが厳しい。そんなときに、カレーや味噌汁などの温かい料理の炊き出しは被災者を勇気づけたはずだ。

台湾人は仏教や道教、キリスト教など宗教の違いに関係なく信仰心が厚い。街なかでも、道路や公園の掃き掃除をしたり、地下鉄や政府機関などでボランティアをしている人をよく見かける。

こういう人たちは、「現世において功徳を積みたい」という思いで奉仕活動を行っているという。現世でよいことをしておけば、極楽浄土や天国へ行けるというわけだ。なんとも現実主義的な台湾人らしい行動と言えばそれまでだが、とはいえ、そうした〝信仰心〟

が社会に貢献しようという意識につながっているのも事実だ。

とりわけ現実的な行動として挙げられるのが、この仏教団体が被災地で被災者に現金を配布していたことだ。報道によると、**被災した人たちにチラシを配って公民館などに集まってもらい、1世帯あたり5万から7万円、ひとり暮らしの人には2万円を配った**のだという。配り漏れがないよう現地の役所と協力のうえ、お年寄りなど配布場所に来られない人には直接訪問し、一人ひとりに現金を手渡して回るという細やかさだった。

実は同じようなことが台湾でもあった。**1999年9月21日の「921大地震」発生後、当時の総統だった李登輝は、被災地を視察するとともに、被害が大きければ100万元、小さければ50万元と、現金をその土地の里長に渡して回った**のだ。

政府が経済的な支援を決定しても、実際に給付金が被災者の手に渡るまでには何週間もかかってしまう。しかし目の前にいる被災者たちは、現金どころか住むところもなく、途方に暮れている。そこで李登輝は、政府の給付金が手元に来るまでのあいだをしのげるよう、党の「機密費」を利用して現金を配った。これなら税金を使う必要がないからだ。

被災地で直接現金を配るというのは、日本では考えられない、かなり思い切ったやり方だと言えるだろう。しかし李登輝自身、当時を回想して**「未曾有の出来事に対して、平時のやり方で対応していては物事が進むわけがない」**と述べたように、緊急時にこそスピード優先で即効性のあるやり方を実行することが大事なのではないだろうか。

実際、現金配布を受けた被災者たちは「先が見えない不安のなか、あのお金は私たちに安心を与えてくれました」と涙を浮かべていたと報じられている。

こうしたスピード感を求め、現実的な対応を好むのは、台湾人の国民性がせっかちなことと無関係ではないだろう。仕事やイベントにしても「とりあえずやってみよう」というチャレンジ精神が旺盛だし、「うまくいかなかったらやり方を変えればいい」と楽観的に考えている。もちろん、拙速に始めてしまい失敗することも決して少なくない。

だが、台湾の変化の早さを目の当たりにしつつ、日本が新型コロナウイルス対策で後手に回っているのを見るにつけ、歯がゆくて仕方ないと感じることも多々あると同時に、その理由について、いやでも考えさせられてしまうのも、また事実なのだ。

そうした日本のスピードの遅さの原因のひとつに、失敗した人間に対して厳しいということが挙げられるのかもしれない。事実、日本では失敗してしまうと、二度とはい上がれないかのようなレッテルを貼られてしまう。だから、安倍晋三氏が総理に再登板できたときには、私は「もしかしたら日本社会が変わってきたのかもしれない」と思ったほどだ（実際にはほとんど変わっていなかったのだが）。

このように、失敗が「命取り」になる日本と台湾の社会を比べて、オードリーはどう思っているのだろうか。

〝失敗するコスト〟の節約につながる〝失敗のシェア〟

「失敗にも意味があります。失敗の経験を公開してシェアしてくれなければ、ほかの人たちも同じような失敗をする可能性があります。〝失敗のシェア〟は、ほかの人にとっての〝失敗するコスト〟の節約につながります。どうやって成功したかという経験のシェアも必要ですが、失敗したという

経験のシェアはもっと重要なのです。失敗もまた貢献です。日本はそういう文化をつくり出すべきですね」

台湾も文字通り「命取り」を起こした失敗がある。2003年に起きたSARS（重症急性呼吸器症候群）の流行だ。

当時の象徴的な光景がある。ビルの窓から外に向けて声を限りに訴える人、段ボールに「我要回家（ウオヤオホイジア）」（家に帰りたい）と書かれたボードを掲げている人……。

SARSの感染が台湾国内で拡大し、パンデミックに発展するのを恐れたため、院内感染が起きていた台北市内の病院を突如封鎖し、一切の出入りを禁じた。そのため、医療関係者も患者もたまたま見舞いに来ていた人も、14日間にわたって強制的に院内に閉じ込められてしまったのだ。現在でも、SARSのことがニュースやドキュメンタリーで流されると、必ず目にする場面である。

当時、台北市長だった馬英九は、専門家グループが主張した「移送隔離」の提言に耳を貸さず、病院内での患者を封鎖する措置を選択した。結果的に、この病院内で院内感染が広がってしまい、150人以上が感染、35人が死亡した。また、封鎖を苦にした自殺者まで出ている。

それから17年後、**新型コロナウイルスの脅威に直面した蔡英文政権の閣僚は、ほぼ全員が公職の立場でSARSを経験していた**。たとえば、2020年5月で退任した副総統の陳建仁（ちんけんじん）は2003年当時、衛生署（のちの衛生福利部）のトップだった。現在の陳時中が就いているポストである。

当時、SARS抑え込みがうまくいかなかった理由は、主に4つあるといわれている。①不十分な情報公開、②感染者と非感染者を同じ空間に隔離するというずさんなロックダウン政策による感染拡大、③マスクをはじめとする物資の調達プランがきっちり計画されておらず、マスク不足を引き起こしてパニックになったこと、そして、④WHO（世界保健機関）に情報を頼ったことだ。

このときの経験によって、**台湾の人々はロックダウンが決してよい効果を生まないと学習した。同時に、マスクは感染予防に一定の効果があるということも理解した**のだ。

そしていざコロナ禍となると、政府による積極的な情報公開と、陳時中の記者会見に対する姿勢に代表される徹底的な説明責任を果たすことで、国民の不安を払拭。素早いマスク調達と増産によって、マスク不足とそれによるパニックを防いだ。さらには、SARS時の苦い経験から、WHOを頼ることなく独自に情報収集することで、台湾は独力で新型コロナウイルスの抑え込みに成功したのである。

もちろん2003年当時、いまほどデジタル技術は発達しておらず、スマートフォンも高速データ通信網も存在しなかった。あのとき、現在と同じようなデジタル環境があれば、もしかしたら状況は変わっていたという人もいる。しかし、忘れてならないのは、まさにオードリーが言うように、**どんなに高性能のデジタル技術であっても、結局それを使うのは人間だ**ということなのだ。

世界でまったく前例のない出来事に最初からうまく対応することは、ほとんど不可能と言っていいだろう。結果を左右するのは結局、経験なのである。だから、台湾はSARSの失敗を、見事に経験として役立て、価値あるものに変えた。あのときの犠牲があったからこそ、いま台湾に生きる人々が助かったともいえる。

つまり、オードリーが言う「**失敗もまた貢献**」とは、まさにこういうことなのだ。失敗したら二度とはい上がれないのではなく、失敗にもまた価値があると捉えて再チャレンジを受け入れる。そんな社会をつくるべきではないのか。そうでなければ、**失敗した人**

たちは単なる「敗者」で終わってしまううえに、社会に失敗の蓄積という「財産」がまったく残らなくなってしまうからだ。

オードリーがなかなか日本に来られないワケ

バラエティ番組からワイドショーまで、日本のテレビに引っ張りだこのオードリー。「ぜひ日本に来てほしい」とか「一度、生で講演を聞いてみたい」という要望が、ネット上にもあふれている。

ただ、たとえオードリーが日本訪問を希望したとしても、少なくとも政務委員のポストにあるあいだは、訪日は難しいのではないだろうか。それはなぜか。実は原因は、ひとえに日本側の姿勢にあるのだ。

コロナ以前は、台湾国籍の人が日本に観光や出張で入国する場合、90日以内の滞在であればビザが不要だった。日本国籍の人が台湾に入国する場合も同様である。

ところが、オードリーのように政治的に重要なポストに就いている人物の場合、日本政府の対応は異なる。端的に言えば、**現職の総統や副総統、行政院長が訪日を希望したとしても、日本側が受け入れることはない**。

ただし、台湾政府要人の入国を認めることそのものが、なんらかの法律に抵触するとか、政令等で禁じられているというわけではない。そもそも台湾国籍であればノービザで入国できるのだから、それを妨げる理由は本来ないはずだ。原因はただひとつ。中華人民共和国が猛烈な抗議をしてくることが明白で、日本側がそれを恐れているからだ。

その好例が李登輝の訪日である。2000年に総統を退任した李登輝は、訪日を希望した。当時は台湾人が日本に来る際にはビザが必要だった。そのビザを発給するかどうかをめぐって政界は二分し、外務省内を巻き込んで大騒ぎになったのだ。

「親中派」と呼ばれる大物政治家や、中国の機嫌を損ねて日中関係が悪化することを恐れる外務省上層部がビザ発給に反対したが、最終的には当時の森喜朗首相が決断してビザを出した。

日本の主要紙すべてが社説で「李登輝へのビザ発給支持」と書いたが、ビザを出すかどうかという主権国家として当然の外交事務さえ、自分たちだけで決められず、中国を怒らせたくない一心で反対したわけだ。

現在、オードリーは政務委員だが、これは「大臣」クラスである。**これだけ名が知られている現職閣僚を日本が受け入れることは、中国にとっては決して見逃せないこと**なのだ。総統や副総統と比べれば、大臣はやや格下のように思われるかもしれないが、中国はそう考えない。現職閣僚であり、政治色の薄いオードリーが訪日を実現させたことを突破口にして、さらにほかの大臣の訪日も狙っているのではないかと疑うだろう。

最終的に現職総統が訪日するような事態になれば、台湾がれっきとした国家として国際社会でふるまうことの象徴になり、「台湾は国家ではなく、中華人民共和国の一部分」という自分たちの荒唐無稽(こうとうむけい)な主張が崩壊してしまうと恐れているのだ。

ただし、デジタルの申し子であるオードリーのこと。自身の日本訪問については、いくらでも頭のなかにプランがあるはずだろう。

たとえば、オードリーは2017年末、国連の公式会議である「インターネット・ガバナンス・フォーラム」にリモートで出席。当時からすでに世界でも先進的だった、台湾のデジタル署名などのデジタル政府サービスや、オンライン納税、空港におけるオンラインの自動通関システム（e-Gate）などについて話したという。

この頃は新型コロナウイルス騒ぎも起きていないが、なぜリモートで出席したのか。それは、台湾は国連に加盟していないため、オードリーが実際にジュネーブで開催された会議に出席するとなると、中国が反対し頓挫する恐れがあったからだ。実際に、オードリーの報告が始まると、中国の代表が「台湾に報告する資格はない」と抗議の声を上げたという。だが議長を務めたパラグアイ代表に、その抗議は却下された。

実は国連の公式会議でオードリーが報告したのは、これが初めてではない。

「それまでは、何度も『ビデオ出演』というかたちで出席していましたが、2017年の際はリモートによる『ライブ』だったことで注目が集まったため、広く知られるようになっただけです」

さらにオードリーは続けた。

「決して奇襲出演ではありません。あらかじめ国連事務局には、台湾は何

時何分にどこどこの会議に出席しますよ、と伝えてあったのです。そうすれば中国側は欠席するかもしれません。これまでですでにかなりの回数、そのようにやってきました。いたずらに政治的な衝突をつくり出す必要はないわけですから。

ネットを使ったリモート出席であれば、中国側がどんなに不満があっても自国で開催しているわけではないので、ネットを切断することなどできませんし、実際に出席することによって生じる妨害などのリスクを排除することができます」

ただ、中国側も国連事務局に対し「国連総会では台湾の動画は流さない」という確約は取っていたようだ。**オードリーをはじめ台湾側からすれば、これもまた異なる意見のなかからお互いが受け入れられる、あるいは妥協できる「共通の価値観」を見つけ出すことによって、実質的な台湾外交の勝利を獲得したと言える**のではないだろうか。

とはいえ、世界がコロナ禍に見舞われるなか、2020年11月にリモート方式で行われたWHOの年次総会では、台湾のオブザーバー参加は、中国が強硬に反対したことで実現しなかった。

日本でも、新型コロナウイルスの感染拡大で、一気にリモート方式が普及した。緊急事態宣言によって出勤できなくなっても、リモートで会議を開いたり、リアルタイムで情報を供したりすることが可能になった。実際に現場に行く必要がない程度の出張であれば、リモートで済ませることができるということがわかり、ポストコロナの仕事のやり方にも大きな変化をもたらすだろう。

オードリーの訪日についても、もちろん本人が実際に日本に来られるのが理想だ。ただ、現在の状況ではハードルは高いと言わざるを得ない。

アメリカでは、2018年に「台湾旅行法」が成立した。アメリカと台湾の閣僚級を含む政府高官の相互訪問を促進する法律だ。従来、日米ともに中国に配慮し、高官が訪台することは内規として控えてきた。ところがアメリカはそれを撤廃し、台湾との関係を緊密化する方向へと舵(かじ)を切ったのだ。

日本の場合は現在も外務省が内規を定め、訪台できるのは下級の職位に限定している。この内規は政府全体に適用されているため、まれに局長級の幹部や副大臣クラスの訪台が実現した場合は「私的訪問」と申し開きするのが通例だ。

新型コロナウイルスが感染拡大するまでは、日台間では年間の往来が700万人を超えていた（2019年）。日本政府も、これまでの慣例や内規を見直して、日台双方の高官が相互に往来する機会を得られるようにする時期が来ているのを認識するべきではないか。

オードリーが日本を訪問して、デジタル革命について政治家と意見交換したり、講演会で日本人参加者と直接やり取りしたりする光景が実現することが、日本、日本人にとってプラス以外のなにものでもないことは、言うまでもないだろう。

このように、デジタルの恩恵であるリモート技術を駆使して、仮にオードリーが訪日を実現させられなくとも、日本人と対話できる機会を多くつくり出すこと、さらにはオードリーを含めて台湾の高官が障壁なく訪日できるような環境整備を並行して行っていくことが肝心だ。

2020年7月に逝去した李登輝の追悼に、森喜朗元首相が訪台した。コロナ禍のため、空港やバス、ホテル、追悼会場とすべて一般の人々と隔離して移動する「外交バブル方式」での訪問だった。台湾の人々が一様に感動したのは、蔡英文総統との会見で撮影された一枚の写真だった。

マイクを持つ森元首相の右手の甲には、痛々しい包帯が巻いてある。報道でこの包帯に着目した台湾人医師は、フェイスブックで次のように投稿した。

「森さんの包帯の下には静脈用留置針があるのが見える。透析のたびごとに静脈注射をする必要がないように、針を打ったままにしておいているのだろう。病を押して古い友人の追悼にわざわざ台湾に来てくれた森さんの写真は、どんな言葉にも勝る」

実際、森元首相は透析治療のため、2日以上、東京を離れることは本来できなかった。だが、当時の安倍首相から直々に「行ってもらえませんか」と依頼され快諾したという。先のフェイスブックの投稿は、新聞などでも報道され多くの台湾人が感動した。

このように「実際に行く」ということが重要な意味を持つ場面は多々ある。そうした意味で、**現実の政治とデジタルを利用したバーチャルな実用性を組み合わせて、オードリーも望んでいる日台関係を前進させていくというバランス感覚が、これからますます重要になってくる**のは間違いない。

オードリー・タンと李登輝の意外な共通点

2020年は、日本において高い知名度を誇り、台湾を代表する人物が「交錯」した年だった。7月30日、「台湾民主化の父」として知られ、日本でも多くの人々から尊敬を集める元総統の李登輝が97歳で亡くなった。

高齢のため晩年は体調を崩しがちで、入院したりすればその病状が日本の新聞でも報じられるなど、総統を退任して20年が経過しても、台湾のみならず日本における存在の大きさをも感じずにはいられなかった。訃報はまたたく間に世界を駆けめぐったが、とくに日本における「李登輝逝去」のニュースに対する反響は、私自身が想像していたよりはるかに大きなものだった。

その一方で、新しく日台関係の舞台で急速にその知名度を上げた人物が、史上最年少で入閣したオードリー・タンだった。

私は李登輝の日本担当秘書として、8年半あまり一緒に仕事をした。李登輝が総統退任後のライフワークとしてもっとも力を入れたのが、日台関係の強化であった。その仕事を支えることができたのは、私の人生においてなにものにも代えがたい宝物だ。

同時に、日本で急にその名を知られることになったオードリーから、じっくり膝を交えて話を聞くチャンスにも恵まれた。

そうした経験を通じて、私は李登輝とオードリーのあいだに多くの共通点があることに気づいた。李登輝もオードリーも、ともに自らが得意とする分野のスペシャリストとして、それぞれ史上最年少で入閣、という経歴が似通うばかりではない。

李登輝が「日本人の持つ高い精神性は素晴らしい、日本人よ、自信を取り戻せ」と、日本の復活を期待して絶えず日本を励まし、ときには叱咤(しった)したが、**オードリーが語るデジタル革命についての哲学には、新型コロナウイルスの感染拡大に苦しみ、停滞した日本を救うための大きなヒントが散りばめられている**ように思えてならなかった。

李登輝は1972年、当時の史上最年少である49歳で政務委員として政治の世界へと足を踏み入れた。オードリーはその記録を塗り替えるかたちで、35歳で政務委員となった。政務委員に指名されたのを振り出しに政治の世界に入った、という点も共通している。ともに政治家の家庭でもなく、自ら望んで政治の世界へ入ったというよりは、その類まれな能力を見込まれ、請われて政界入りしたこともよく似ている。

李登輝とオードリーが就任した「政務委員」というポストは、日本語では「無任所大臣」と訳される。一般的に、大臣とは外務大臣や財務大臣のように所管する省庁があるが、無任所大臣はとくに所管する省庁を持たない。あるいは、複数の省庁にまたがった問題に対応することを仕事にする大臣だと考えればよい。

台湾には32の省庁が存在するが、その省庁すべてにトップの大臣か長官がいる。しかし、ひとつの省庁では収まらない問題を解決したり、省庁間の「橋渡し」をしたりするために置かれたのが政務委員なのである。

日本の接触確認アプリ「COCOA」の検討会に参加した識者は、「コロナ禍のような有事の際には政府のスピーディな対応が求められるが、『縦割り』ではそれが難しい」と発言した。政務委員の仕事とは、まさに縦割りの弊害を乗り越えることにあるのだ。

実際、李登輝が当時の行政院長だった蔣経国(しょうけいこく)から命じられた仕事の内容は、農村復興のほか、石油化学事業と職業訓練だった。この本の主人公であるオードリーも、担当する業務はデジタルと政府の透明化促進だ。

これらの業務は、ひとつの省庁が単独で解決できるものではなく、複数の省庁にまたがる対応が求められる。そうした省庁間、なわばりの壁を飛び越えて仕事を行える能力が必要とされるのが政務委員なのだ。

ふたりの共通点は経歴ばかりではない。

私がなによりも、ふたりのあいだに相通じるものとして感じるのは「公の精神」である。李登輝は少年時代、祖母を亡くした経験から「人間はなぜ死ぬのか」という問題を考えることになった。この問題は次第に「人はなぜ生まれてくるのか」「生きる意味とはなにか」といった死生観となって李登輝を悩ませた。

ほんのひと握りのエリートだけが進学できる旧制台北高校に入ると、「人間の生きる意味」の答えを見つけようと、古今東西の名著と呼ばれる書籍をむさぼるように読み、悩み、考え続けたという。

最終的に、李登輝が得た「人間の生きる意味」という問題への回答は、「我是不是我的我（ウォシーブーシーウォダウォ）」という言葉に集約された。日本語にすると「私は私でない私」という、あたかも禅問答のような言葉だ。

これは、敬虔（けいけん）なキリスト教徒でもあった李登輝が、聖書にある「ガラテヤの信徒への手紙」のなかの一節「生きているのは、もはやわたしではありません。キリストがわたしのうちに生きておられるのです」という言葉から、李登輝自身が導き出したものである。

「私の人生は自分のためだけにあるのではなく、公のために尽くすためにある」

つまり、人生の意義は公のために尽くすことにあるということを説いた言葉なのだ。

オードリーもまた、自身が抜きん出た才能と技術を持つ「デジタル」を用いて、いかにして公のために尽くすか、という姿勢を貫いている。ただ、オードリーの姿勢はやや特異で、ストイックさを感じることはまったくないといっていい。私が「なぜ政務委員のオファーを受けることにしたのか」と尋ねると、即座に**「楽しいし、面白いから」**という答えが返ってきた。

政府のデジタル化といった領域では、日本よりかなり先行している分野が多いように見受けられる台湾だが、実際のところ、まだまだ試行錯誤の部分もある。ただ、オードリーが**「社会にあるそれぞれの立場の誰もが受け入れられる、最大公約数の価値観を見つける『橋渡し』の場を、デジタルなら提供できると思っていた」**

と語るように、それまでアナログの領域ではうまくいかなかった政策が、デジタルを用いれば解決できるのではないか、という考えは以前から持っていたようだ。

そんなオードリーだから、文字通り「橋渡し」が仕事の政務委員というポストは、自分のデジタルに関する能力を存分に発揮できるわけだ。事実、インタビューの際、仕事が楽しくてしょうがないという表情だったのが印象的だった。

現在、「有名人」となったオードリーは、積極的にメディアに登場し、台湾の「トップセールスパーソン」として発信している。とはいえ、P81でも紹介したように、彼女は特別職の公務員ゆえに、給与以外に受け取ることのできる報酬が制限されており、そのため無報酬でインタビューなどを依頼されることも多い。

それでもオードリーがあらゆるインタビューを、**とくに日本からのオファーを「ほぼ無条件」で受けるのは、それが日本をはじめとする国際社会における台湾の知名度向上や存在感の発揮といった「売り込み」に有用だと考えているから**だ。

2020年前半、日本をはじめとする各国はマスク不足に悩まされたが、いち早くマスクの増産に成功した台湾から、たくさんのマスクの寄付が届けられた。マスクが納められた段ボール箱には「Taiwan can help」と記載され、大いに台湾の存在感を高める結果となったことを覚えている方も多いだろう。

16歳で起業したオードリーは「IQ180の天才」などと呼ばれ、若くしてアメリカのアップルや、台湾の電機メーカー「BenQ」（ベンキュー）で高給を得る成功を収めた。しかし、**「私なんかは33歳でリタイアして、いまは公益のために楽しみながら仕事をしているわけですから」**と自ら言うくらい、オードリーは公のために尽くすことに楽しさを感じている。

こうした李登輝とオードリーの〝軽やかさ〟の差は、世代の違いによるものなのだろうか。いずれにせよ、自分の能力や機会、受けてきた高等教育をいかに社会に還元するか、という高い精神性を持つ点において、このふたりには、**社会的地位を持つ人間は、その社会に対する責任を負うという「ノーブレス・オブリージュ」の気概さえ感じさせる**のだ。

おわりに
～台湾社会にはたくさんの「オードリー」がいる～

オードリーが政治の世界に入るきっかけをつくった、弁護士で元政務委員の蔡玉玲と話していたとき、気になったことがあった。彼女は「台湾が新型コロナウイルス封じ込めに成功するカギとなったマスクマップアプリや、デジタル政府がうまく進んでいることはオードリーひとりだけの功績ではない」としきりに強調するのだ。

なぜなのだろうかと、帰り際、法律事務所の入口まで送ってくれた彼女に聞いてみた。

「それがオードリーを守ることになるからよ」

蔡玉玲は言った。

「シビックハッカーたちが、なによりも大切にするのは協力することなの。オープン・ガバメントを進められたのも、マスクマップがうまくいったのも、彼らが自ら進んで手伝ってくれたから。オードリーも、みんなで協力したからこそ成功したのだということをわかっているから『マスクマップをつくったのはプログラマーたち』と言うわけでしょう。

オードリーは、台湾がデジタルで成功していることの『象徴』みたいなものだけど、そのうしろには何百人、何千人もの『オードリー』がいることを忘れてはいけないの。オードリーの功績ばかりにスポットライトが当たったら、じゃあオードリーがひとりでやればいいじゃないか、となってしまうかもしれないでしょう。私は、そんな無名のシビックハッカーたちもリスペクトされるべきだと思っているし、同時にそれがオードリーを守ることにもなるのよ」

蔡玉玲はデジタル領域の法整備に携わってきた弁護士とはいえ、自身がシビックハッカーというわけではない。しかし、長年オードリーをはじめ多くのシビックハッカーたちとともに政府や社会のために仕事をしてきたことで、ハッカーたちが「協力」という姿勢をなによりも尊重していることを代弁してみせたのだ、と私は解釈している。

「新型コロナ対策も、ひとりではなく、政府と国民の協力があったからこそ成功した」

蔡玉玲もオードリーも異口同音に同じことを言っているのである。

本書のなかでもたびたび言及したように、台湾は世界でもトップ3に入るほどのシビックハッカーが育っていて、誰もがデジタルやネットの技術を使って台湾社会のみならず世界に貢献したいと考えている。そもそも、台湾の人たちは社会に貢献したいという気持ちを、日本人よりも強く持っているように感じる。

たとえば、台北を縦横に走るMRT（地下鉄）の大規模駅には、「志工（ズーゴン）」（ボランティア）と書かれたビブスを着た人がたくさんいて、道案内をしたり、車椅子の人たちを助けたりしているし、病院や区役所、私たち外国人が手続きに行く移民署にもたくさんいる。

多くは、まだまだ健康でなにか人の役に立ちたいと思っている、仕事や子育てをリタイアしたと思しき世代の人たちだが、なかには若い世代の人もいるし、男女の区別なくボランティアにいそしんでいる。

時間がある人は自らボランティアをすればいいし、時間がない人は寄付というかたちで慈善団体や障害者施設に貢献する。そんな「誰かを助けたい」という気持ちを、台湾の人々は非常に強く持っている。そうした価値観は、若い世代のシビックハッカーたちも変わらない。「鍵盤救国」（キーボードで国を救う）という言葉で表されるように、社会に貢献したいと考えている人たちがたくさんいるのだ。

こうした台湾社会が持つパワーの源である「社会に貢献したい」という気持ちは、どこから来るのだろうか。そう尋ねると、蔡玉玲は「台湾社会が持つ篤い信仰心ではないかしら」と言う。複数の台湾人に聞いてもやはり「民俗的なもの」とか「信仰に関係があるのでは」という意見が多かった。

台湾では街なかのいたるところに廟(びょう)があり、年配者も若者も気軽にお参りしている。また、たとえば旧暦の7月は「鬼月(グイユエ)」と呼ばれ、あの世の門が開き、霊が現世に帰って来ているので、悪いことが起きないように水遊びをしてはいけないとか、引っ越しをしてはいけないという習わしがある。

世界最大の半導体製造企業を抱え、デジタル・ガバメントの分野でも世界の最先端を行く台湾だが、その一方で台湾社会では一見、非科学的と思われるような風習が尊重されているし、若い人が家族を大切にしたり、あるいは家に縛られたりと、よくも悪くもやや古めかしい価値観が残っている。

だからボランティアをしたり、寄付をしたりすることが「功徳(くどく)を積む」ことになると強く信じられているのだ。台湾の人々らしい現実的な発想といえばそうだが、だからこそ日本ではもはや死語になりつつある「世のため人のため」という言葉が、台湾ではまだ生き生きと残っているともいえる。

デジタルの申し子のようなオードリーだが、もしかしたらその天才的な能力は、台湾社会の古きよき価値観と嚙み合うことによってこそ、何倍にも発揮されているのではないか、と感じるのである。

初めてオードリーにインタビューした日のことはよく覚えている。

東京よりも一足先に梅雨が明け、朝から刺すような真夏の日差しが照りつける日だった。いま振り返ると笑い話だが、私はオードリーを紹介する記事の見出しに並ぶ「ＩＱ１８０の天才」という言葉に対し、ややナーバスになっていた。

「そんなにも頭が切れる人物に、つまらない質問などして不機嫌にさせてしまったらどうしようか」と心配していたのだ。また、「頭がよすぎるがゆえに〝変人〟だったらどうしよう」などと、いらぬ不安まで抱いていた。

ところが、だ。

実際に会ったオードリーは、微塵もそんなことを感じさせるような人物ではなかった。

私はよく、日本人秘書として仕えた李登輝元総統の魅力を聞かれたときに「気配りの人」

という言い方をする。総統経験者だからといって、偉ぶった態度を見せることなどないし、相手が国会議員だろうが高校生だろうが、同じように接して気を配る。そんなところが、オードリーにも共通して感じられたのだ。

自己紹介もそこそこに、さっそくインタビューを始めようとしたときのこと。録音機材の準備や日本側とリモートでつなぐ作業に、予想以上に手間取ってしまった。政務委員として忙しいスケジュールのなか、せっかく貴重な時間をとってもらっているのに、いたずらに待たせてしまったのだ。

申し訳ない気分で作業をしていたところ、そんなこちらの気持ちを読み取ったのか、彼女は**「あせらなくてもいいよ。準備に5分かかったら、インタビューも5分延ばせばいいから」**と、笑顔で緊張をほぐしてくれた。

もうひとつ印象に残ったのが、**とにかく細かいことをまったく気にしないこと**。どの電源タップも自由に使っていいし、どこにどんな格好で座るのも自由だった。撮影する際も、指示を出せば衣装もなるべく合わせてくれるし、ポーズもいかようにもとる。真夏の屋外での撮影が長時間にわたったときも、いやな顔ひとつせず最後までつき合ってくれた。

一方で、ひとたびインタビューが始まると、オードリーはマシンガンのような早口でこちらの質問に答えていくのに面食らった。私が話し終わるかどうかのタイミングで、彼女はすでに回答を始めているのだ。これは、どんな質問でも同じだった。

こちらが聞きたいと思う内容も、新型コロナウイルスやデジタルの話題はもちろん、台湾の民主主義から教育、プログラミングやＡＩ、彼女の生い立ちから家族のことまで多岐にわたった。しかも私のインタビュー中、日本側の取材スタッフからもＬＩＮＥなどを通じて質問が飛んでくる。

当然、話題があちこち行ったり来たりすることも珍しくなかったが、それでも、質問に対するレスポンスは、「天才」と言われるとおり非常に早い。考え込んだり、言い淀んだりすることは、全8回、20時間を超えるインタビューのなかで一度もなかった。

もうひとつ驚いたのは、オードリーにインタビューするときには必ず専属の「速記者」である薛雅婷（せつがてい）さんが同席して、彼女や私が発言した内容を一言一句逃さないように入力していたことだ。これは、オードリーの理念である「開かれた政府」（オープンガバメント）を自ら実践するため、自分が受けたインタビューの内容や発言をすべて公開する、と決めているからだという。

あるとき、オードリーは台中の大学で講演することになっていたので、同地のホテルでインタビューを行ったが、そのときもインタビュー内容の記録を行うため、薛さんを同席させた。政治理念の実践とはいえ、その徹底したやり方に感嘆した。オードリーは、ジョーク交じりで**「薛さんは『速記者』で、私は『速話者』です」**と語る。

ちなみに薛さんは、台湾でも5人ほどしかいない「速録師」と呼ばれるプロフェッショナルの速記者だ。彼女がオードリーと一緒に仕事をしたのは、2015年のこと。オードリーが政府の教育改革会議の委員になったとき、カリキュラムについて討論した内容が「不透明」だとして大きな社会問題になった。

会議の席上、オードリーは討論された内容をすべて公開することによって、台湾社会の疑念を晴らせるのではないか、と提案した。そこで、友人の紹介で知り合ったのが薛さんだったという。

またオードリーが、こちらから投げかける質問に対し、突拍子もない答えを返してくることもたびたびだった。AIのディープラーニング学習について話しているとき、彼女はいきなり**「初期のAIが反復学習に終始したのは、前期のウィトゲンシュ**

タインの思想と類似している」と言い出したのだ。ウィトゲンシュタインとは、代表的著作『論理哲学論考』で知られるオーストリアの思想家、哲学者である。

あるいは、マスクの話をしていると「ファンデルワールス力」（分子と分子のあいだに働く弱い引力）を持ち出し、高性能マスクがウイルスを吸着する仕組みを解説してくれた。

正直言って、日本語でも聞いたことのない言葉が次々と飛び出すようなインタビューだったから、ときにはオードリーの話を聞きながら、手元のパソコンで意味を検索することもあった。まるでジェットコースターに乗りながら着替えるようなものだ。

だが、ジェットコースターが乗り終わってみれば爽快なのと同じように、オードリーとのインタビューは難解ながらも最後まで楽しく、基本的に1回3時間、全8回のインタビューが終わったのはあっという間だった。

こうして、長きにわたるインタビューを通じて改めてわかったこと。それは、私が秘書として仕えた李登輝もオードリーも、台湾のために、台湾がよりよい国になることを願って働いてきたという当たり前の事実だった。本文を読まれておわかりのとおり、オードリーの経験や言葉には、日本のデジタル革命に必要なヒントがたくさん詰まっている。

私はオードリーの声を直接聞く機会を得た日本人として、日本に復活してほしいと心から願うからこそ本書を書いた。そして日本を心から愛するからこそ、いまこそ台湾に学んでほしいと願う次第である。

オードリー本人はもちろんのこと、彼女を支えるたくさんの人たちの協力なしに本書を完成させることはできなかった。おひとりずつ名前を挙げればきりがないが、紙面をお借りしてここに改めて御礼を申し上げたい。

また、遅筆の私を辛抱強く待ち続け、激励していただいたビジネス社の大森勇輝氏、ランカクリエイティブパートナーズ株式会社の渡辺智也氏にも深く感謝申し上げる。

そして、呻吟しながら本書の原稿に向き合う父の横に机を並べ、一緒にドリルをすることで「伴走」してくれた、春から台北日本人学校小学部の2年生になる息子の美輝にも感謝して謝辞としたい。

2021年3月

早川友久

［略歴］

早川友久（はやかわ・ともひさ）

ライター、翻訳家、李登輝元総統秘書。1977年、栃木県足利市生まれ。現在、台湾台北市在住。早稲田大学卒。

「台湾民主化の父」と呼ばれた故・台湾総統 李登輝の唯一の日本人秘書であり、現在も、李登輝の遺志を引き継ぎ財団法人李登輝基金会顧問として日台の外交をサポート。

オードリー・タン著『オードリー・タン デジタルとAIの未来を語る』（プレジデント社）の翻訳チームのリーダーとして書籍翻訳を担当。著書に、『李登輝 いま本当に伝えたいこと』（ビジネス社）、『総統とわたし』（ウェッジ）がある。

編集協力：ランカクリエイティブパートナーズ株式会社
カバー・本文オードリー写真：KRIS KANG

オードリー・タン　日本人のためのデジタル未来学

2021年4月26日　　第1刷発行

著　者　早川 友久
発行者　唐津 隆
発行所　株式会社ビジネス社
〒162-0805　東京都新宿区矢来町114番地 神楽坂高橋ビル5F
電話　03(5227)1602　FAX　03(5227)1603
http://www.business-sha.co.jp

〈装幀〉大谷昌稔
〈本文組版〉茂呂田剛（M&K）
〈印刷・製本〉中央精版印刷株式会社
〈営業担当〉山口健志
〈編集担当〉大森勇輝

ISBN978-4-8284-2266-4